KT-501-086

PROFESSION DE FOI
DU VICAIRE SAVOYARD

Du même auteur
dans la même collection

LES CONFESSIONS (2 volumes).
CONSIDÉRATIONS SUR LE GOUVERNEMENT DE POLOGNE. — SUR L'ÉCONOMIE POLITIQUE. — PROJET POUR LA CORSE.
DU CONTRAT SOCIAL.
DISCOURS SUR LES SCIENCES ET LES ARTS.
ÉMILE OU DE L'ÉDUCATION.
ESSAI SUR L'ORIGINE DES LANGUES. — LETTRE SUR LA MUSIQUE FRANÇAISE ET AUTRES TEXTES SUR LA MUSIQUE.
JULIE OU LA NOUVELLE HÉLOÏSE.
LETTRE À M. D'ALEMBERT SUR SON ARTICLE GENÈVE.
LES RÊVERIES DU PROMENEUR SOLITAIRE.

Jean-Jacques ROUSSEAU

PROFESSION DE FOI DU VICAIRE SAVOYARD

Présentation, notes, bibliographie et chronologie par
Bruno BERNARDI

GF-Flammarion

ISBN : 2-08-070883-X

INTRODUCTION

Il est des moments, dans sa vie, pour lire tel livre ; il est des moments, dans la vie d'un livre, plus propices que d'autres à sa lecture. Le moment est peut-être venu de lire la *Profession de foi du vicaire savoyard.* Deux sortes de raisons viennent ici se conjuguer.

Penser la religion, car c'est bien là l'objet de ce texte, est une tâche qui s'impose, de nouveau, à nous. Bien des débats que l'on avait crus tranchés, ou qui avaient perdu tout véritable enjeu, depuis précisément la fin du siècle des Lumières, se trouvent rouverts. Un retour sur le XVIIIe siècle est pour nous une nécessité. Loin par là de tomber dans cette manie du jour de considérer les deux derniers siècles comme une parenthèse refermée, voire une anomalie à expier, il s'agit de nous donner les moyens de leur intelligibilité. Mais, dira-t-on, cette « religion naturelle » est un produit historique bien circonstanciel, on ne voit guère ce qu'elle peut encore nous dire. Le jugement est rapide et nécessiterait qu'on aille y voir de plus près. Au-delà des articles du credo que le vicaire va proposer à son jeune disciple, la position théorique que Rousseau, parfois laborieusement, s'applique à conquérir pourrait bien se révéler plus féconde pour nous qu'on ne l'attendrait. C'est en tout cas ce que nous voudrions montrer.

La connaissance et la compréhension de Rousseau

ont fait dans ces dernières décennies des progrès incontestables. Les *Annales Jean-Jacques Rousseau* en ont été l'outil et le témoin, la publication d'une véritable *Correspondance complète* (par R.A. Leigh) et l'achèvement de celle des *Œuvres complètes*[1] (dirigée par B. Gagnebin et M. Raymond) y sont pour beaucoup. Menant à rectifier une longue tradition, qui voit en lui un artiste doué et une âme sensible plus qu'un penseur rigoureux, l'effort essentiel a tendu à montrer la cohérence, l'unité de la pensée de Rousseau et son caractère pleinement philosophique. Des démarches aussi différentes que celles de Victor Goldschmidt ou de Henri Gouhier sont, en ce sens du moins, concourantes. Or, à cet égard, la *Profession de foi* est une véritable pierre de touche. On s'est longuement plu à souligner les « incohérences » qui se trouveraient entre les autres œuvres de Rousseau et la *Profession de foi*, voire entre les différentes parties de celle-ci. Surtout, la rédaction de la *Profession* serait l'occasion d'une véritable « conversion » de Rousseau qui, s'opposant désormais à la philosophie, reniant un rationalisme qui lui serait toujours resté, au fond, étranger, se tournerait désormais vers le sentiment religieux. En d'autres termes, la lecture que l'on fait de la *Profession de foi* décide de la cohérence que l'on reconnaîtra, ou non, à sa pensée et de l'orientation fondamentale de sa philosophie. Plus même, du caractère philosophique de cette pensée. C'est à une telle mise à l'épreuve que nous voudrions inviter[2].

Ces deux approches, on le remarquera, se recoupent en une question précise : que faut-il

1. C'est à cette édition, dans la collection de la Bibliothèque de la Pléiade, et quand cela est possible aux volumes de la collection GF, que l'on se référera. Les cinq volumes sont notés respectivement OC I, II, III, IV, V. Voir en fin de volume la bibliographie.

2. Cette introduction se limitera à donner les principes et les outils d'une telle lecture de la *Profession de foi*. On a réservé pour l'annotation, la présentation et l'interprétation d'un bon nombre des points qui, dans la démarche de Rousseau et le texte de la *Profession de foi*, donnent matière à discussion. On y trouvera donc aussi une part de l'argumentation.

entendre par la notion de religion naturelle ? La réponse de Rousseau intervient au terme d'un mouvement deux fois centenaire (il donne lui-même le *De la sagesse* de Charron, de 1601, comme repère) ; elle ne sera pas la dernière (on pense bien sûr à *La Religion dans les limites de la simple raison* de Kant) ; mais elle est, sans doute, celle qui peut entrer au mieux en résonance avec les interrogations contemporaines.

La valeur polémique que nous attribuons ainsi à la *Profession de foi*, comme condensant les problèmes essentiels posés par la philosophie de Rousseau, surprendra moins quand on aura évoqué les circonstances de sa publication et l'accueil qu'elle reçut.

La « Profession de foi du vicaire savoyard » est-elle une œuvre de Jean-Jacques Rousseau ?

Cette question surprenante ne peut manquer d'être abordée pour commencer. Non seulement Rousseau n'a jamais publié d'œuvre portant un tel titre, mais le texte intégral de la profession est placé au cœur d'un autre ouvrage, *Émile ou De l'éducation*, dont il constitue l'essentiel du livre IV. Il y est donné pour modèle de l'éducation religieuse, que l'on peut donner à un jeune homme parvenu à « l'âge de raison et des passions », c'est-à-dire au-delà de quinze ans[1]. Se livre-t-on à une supercherie éditoriale, en ajoutant indûment un titre à la bibliographie de Rousseau ? Au mieux, l'opération se légitime-t-elle comme publication d'un « extrait » ? La question ne porte pas seulement sur le statut du texte que nous présentons ; elle engage aussi sa compréhension. Est-il légitime de lire la *Profession de foi* hors du contexte de l'*Émile* dans

1. C'est inutile de parler plus tôt de religion, tant que l'éveil des passions et les conflits qu'elles soulèvent n'en ont pas fait sentir la nécessité ; c'est aussi nuisible, car ce serait vouloir « en imposer » à une raison encore immature.

lequel elle apparaît? Tout pousse à apporter une réponse non pas ambiguë, mais bien double à la question posée.

À interroger d'abord la genèse des textes, on doit considérer, avec Pierre-Maurice Masson[1], que la *Profession de foi* d'une part et l'*Émile* de l'autre ont été élaborés indépendamment, et que c'est dans la phase de réalisation de l'*Émile* que Rousseau décide d'y insérer le texte de la *Profession de foi.* Insertion qui lui demande d'ailleurs de profonds remaniements des deux textes, au point que l'*Émile* garde encore bien des traces de cette suture. Ce constat peut conduire à deux conclusions différentes : considérer la *Profession de foi* comme un mouvement de pensée autonome ou estimer que Rousseau, en l'insérant dans l'*Émile*, l'en a rendue solidaire.

Rousseau a-t-il pensé publier la *Profession de foi* comme un texte formant une unité? La réponse est sans aucun doute positive : le texte définitif de l'*Émile* étant arrêté, l'impression en cours, Rousseau vit dans la crainte que l'ouvrage ne soit supprimé ou dénaturé; il décide d'en sauver l'essentiel et, à cette fin, copie le texte de la *Profession de foi* et l'expédie en Suisse à son ami Moultou avec des indications très précises[2]. Il rédige lui-même la page de titre : « PROFESSION DE FOI DU VICAIRE SAVOYARD / Publiée sur une copie écrite de la / main de Jean-Jacques Rousseau, Citoyen / de Genève / et déposée par lui-même entre les mains de l'Éditeur. » Dans une note en fin de manuscrit, il ajoute que si des différences, autres que les fautes matérielles, se trouvaient entre le texte « du

1. Les études de Pierre-Maurice Masson (son édition critique de la *Profession de foi* et sa thèse sur *La Religion de Jean-Jacques Rousseau*) sont les sources privilégiées de tout travail sur notre texte. Notre dette est grande à son égard. Ce qui n'empêchera pas les divergences, locales ou globales, de lecture. Pour ces ouvrages, et tous ceux cités dans cette introduction, voir en fin de volume la bibliographie.

2. Voir les lettres à Moultou des 12 et 23 décembre 1761 et du 18 janvier 1762.

traité de l'éducation » et celui-ci, c'est ce dernier qui devrait être tenu pour authentique. Pourtant, de ce point de vue aussi, l'affaire n'est pas simple : en envoyant le texte à Moultou, Rousseau précise bien que sa publication ne devrait intervenir qu'à défaut de celle de l'*Émile*, un engagement le tenant au regard de son éditeur. Au même moment donc, Rousseau considère la *Profession de foi* comme une œuvre distincte et la traite comme une partie de l'*Émile*.

Au-delà de cette approche historique, qui débouche comme on voit sur une double légalité, la question fondamentale de la lecture se pose dans des termes comparables. La *Profession de foi* est un moment nécessaire de la formation d'Émile ; en ce sens, on ne peut pas lire le « traité de l'éducation » sans sa partie religieuse. Cela induit nécessairement une lecture de la *Profession de foi* qui la noue de façon serrée au cours de l'*Émile* et la détermine comme partie constituante d'une œuvre de philosophie de l'éducation. Lue séparément, constitutive de sa propre cohérence et de son propre objet, elle est une œuvre de philosophie religieuse dont la lecture doit trouver en elle-même son principe directeur.

Des deux voies ainsi tracées, on observe à la fois qu'elles n'ont rien d'exclusif et que la compréhension de Rousseau a tout à gagner de leur conjugaison, pas de leur confusion. C'est à considérer comme une œuvre autonome et spécifique la *Profession de foi du vicaire savoyard* que l'on s'essaiera ici.

Cet obscur objet du scandale

À dire vrai, c'est dans des termes bien différents que le problème que nous venons d'aborder se posait pour Rousseau et ses contemporains. Lorsque, son manuscrit étant assez avancé, en 1760, il fut question de l'impression, Rousseau n'envisageait pas de le faire imprimer en France. Mme de Luxembourg, qui se voulait sa protectrice, Lamoignon de Malesherbes, qui était « directeur de la librairie du Roi » et avait donc la haute main sur la censure, l'encourageaient au contraire à faire imprimer à Paris. Le texte des *Confessions*, au livre X[1], comme la correspondance de cette période le montrent : le seul objet de ces craintes, comme celui de ces assurances, était la *Profession de foi*. Dans les mois qui suivent (l'impression d'*Émile* durera plus d'un an, l'accumulation des retards finissant par être, pour Rousseau, le signe d'un complot général contre son œuvre), c'est toujours sur le contenu de ce livre IV de l'*Émile* que les inquiétudes de Rousseau se focalisent.

Le 24 mai 1762, l'*Émile* est enfin mis en vente au Palais-Royal. Les choses, dès lors, devaient aller très vite, réalisant (et au-delà) les craintes conçues par Rousseau. L'*Émile* est saisi dès le 3 juin chez le libraire Duchesne, puis condamné en Sorbonne le 7 et par le Parlement de Paris le 9; le même jour, Rousseau, décrété d'arrestation, prend la fuite pour la Suisse. L'ermite de Montmorency va être transformé en fuyard, pour de longues années. Le 11 juin, tandis qu'on brûle l'*Émile* à Paris, on le saisit à Genève, et, le 19, Rousseau est également l'objet d'un mandat d'amener du *petit conseil* de la République. Il va devoir se réfugier, momentanément, sur les terres du roi de Prusse. Aucun doute sur l'objet de cette tempête que Rousseau a déchaînée contre lui : c'est la *Profession de foi*. Mais l'acharnement qui le poursuit n'est pas celui des seules Églises (de l'archevêque de Paris, Christophe de Beaumont, qui publie un Mandement vengeur, à la « révérende compagnie des ministres » de la cité de Genève) ; s'ajoutent non seulement les poursuites des gouvernements (du ministère français à l'État de Berne), mais aussi la vindicte de bien des philosophes. Voltaire ira jusqu'à faire publier un *Sentiment des citoyens* anonyme, où il se fait passer pour un calviniste indigné, qui appelle les autorités gene-

1. OC I, p. 534 sq.; GF, vol. II, p. 298 sq.

voises à la répression contre l'œuvre et l'auteur. La polémique durera plus de quatre ans, jusqu'à la fuite de Rousseau en Angleterre, en janvier 1766. Il se défendra contre les uns et les autres et explicitera son point de vue dans sa *Lettre à Christophe de Beaumont*, puis dans ses *Lettres écrites de la montagne*.

Pour prendre la mesure de l'extraordinaire réaction provoquée, on peut suivre l'évolution du nombre d'ouvrages consacrés à Rousseau[1] par ses contemporains : de 1751 à 1762, ce sont cent quatre-vingt-douze titres qui le concernent (les *Discours* avaient déjà fait scandale) ; après 1762, on assiste à une véritable explosion pour atteindre, en 1799, mille quatre-vingt-douze titres. C'est bien à l'*Émile* qu'il faut attribuer cette avalanche de textes, dont environ les deux tiers portent sur la philosophie religieuse de Rousseau, donc sur la *Profession de foi*. Alors que *Du contrat social* est paru en même temps que l'*Émile* et a été condamné avec lui à Genève, il faut attendre le trois cent soixante-neuvième titre, en 1764, pour qu'un Paul-Louis de Bauclair réagisse avec un *Anti-Contrat social*[2]. Les titres semblent indiquer, ce que confirme Robert Derathé dans le dernier chapitre de son *Rationalisme de Jean-Jacques Rousseau*, que cette réaction est avant tout le fait de ceux qui, protestants ou catholiques, voient dans la *Profession de foi* une attaque dangereuse contre la révélation, l'Église, les miracles[3].

Les faits sont là : au printemps 1762, Rousseau, qui vient de donner récemment *Julie ou La Nouvelle Héloïse* (elle est publiée en janvier 1761), publie simul-

1. D'après P.-M. Conlon, *Ouvrages français relatifs à Jean-Jacques Rousseau (1751-1799)*, Genève, Droz, 1981.

2. Il faut ajouter que, dans *Du contrat social*, c'est d'abord le chapitre sur la religion civile (livre IV, chap. VIII) et ses propos sur « un peuple de vrais chrétiens » qui ont attiré les foudres.

3. Par exemple Guillaume de Maleville (ou Malleville, suivant les éditions), *Examen approfondi des difficultés de M. Rousseau de Genève contre le christianisme catholique*, 1769. Voir aussi l'abbé Bergier, *Le Déisme réfuté par lui-même ou examen en forme de lettres des principes d'incrédulité répandus dans les divers ouvrages de M. Rousseau*, 1re éd., 1765, Vrin. Reprise, 1981.

tanément deux ouvrages, *Du contrat social*, qui contient une philosophie politique[1], et l'*Émile*, qui propose une anthropologie et une philosophie de l'éducation. C'est là le fruit des six ans qu'il vient de passer en « ermite ». Toute l'attention se focalise, immédiatement et durablement, sur les quelques dizaines de pages qui constituent la *Profession de foi du vicaire savoyard*. Le scandale est d'une autre nature que celui provoqué par le *Premier Discours*. Le jeune auteur féru de paradoxes de 1750, qui prenait à rebours les courants dominants de pensée de son siècle, amusait ou irritait dans les salons et les cafés. Le Rousseau de 1762 met en branle les institutions, les États.

Que peut donc contenir la *Profession de foi* pour provoquer un tel scandale ? Une diatribe contre les miracles, la dénonciation des « absurdités » de tel dogme, la critique du célibat des prêtres, la remise en cause du principe d'autorité, la méfiance envers toutes les Églises, l'affirmation de la primauté absolue de la conscience, la dénonciation des dévots ? Sans doute. Rousseau est un remarquable polémiste, on l'ignore souvent, et bien des pages de la *Profession de foi* frappent par leur virulence. Voltaire ne s'y est pas trompé qui, dans le moment même où il s'en prenait à Rousseau, se saisissait d'une bonne part de son texte pour l'intégrer à son *Recueil nécessaire*, sorte d'anthologie de polémique antireligieuse. Tout cela, de plus, Rousseau ne le publie pas sous le manteau, anonymement, mais le signe et le revendique hautement. Nous sommes pourtant en 1762. Il n'y a rien de vraiment nouveau dans ces pages, que l'on n'ait pu lire déjà chez un Bayle, un Voltaire, un Diderot, bien d'autres encore. Serait-ce alors la partie « positive » de la *Profession de foi* qui aurait tant choqué ? En appeler à une religion naturelle, croyance raisonnable et raisonnée

1. On notera que c'est après 1789 et non avant que *Du contrat social* deviendra l'œuvre majeure de Rousseau et sera l'objet d'innombrables publications.

que l'on découvre dans l'intimité de son cœur, cela non plus n'était pas extraordinaire[1] : qu'ils aient été franchement piétistes, comme Marie Huber ou Béat de Muralt, ou plus discrètement, comme Fénelon, ici non plus Rousseau ne manquait pas de prédécesseurs. Bernard Groethuysen remarque, à juste titre, que la religiosité raisonnable défendue par la *Profession de foi* correspondait sans doute à une vision très largement partagée par ses contemporains. À se livrer ainsi à un examen détaillé des matières, le tollé provoqué devient incompréhensible : P.-M. Masson finit par trouver un antécédent, parfois une foule, pour chacun des énoncés de Rousseau. Non seulement cela conduirait à se demander quelle est l'originalité de l'œuvre, mais cela rendrait absurde tout le bruit fait par sa publication.

L'énoncé du problème nous met sans doute sur la voie de la solution : si, segmenté, le propos de Rousseau dans la *Profession de foi* ne produit pas d'effet de rupture, peut-être est-ce la cohérence singulière de sa pensée qui est proprement dérangeante ? Le « parti philosophique », dont Voltaire est le chef autoproclamé et reconnu, réagit si vivement non parce que Rousseau affirme sa croyance religieuse, mais parce qu'il prétend le faire au nom de sa raison. L'archevêque de Paris fulmine plus encore contre celui qui se dit croyant, voire chrétien, tout en refusant l'autorité, que contre l'incrédule. La religion naturelle, le déisme, tel serait donc l'objet propre du scandale ? On voit d'emblée ce que cette formulation a d'insatisfaisant : l'idée de religion naturelle est sous-jacente à la philosophie moderne, au moins depuis le début du XVIIe siècle. Elle est un des thèmes centraux de la philosophie anglaise (Locke et Hume sont bien connus de Rousseau). Le courant piétiste en reprend aussi l'énoncé : le seul titre de l'ouvrage de Marie Huber, *Lettres sur la religion naturelle à l'homme, distinguée de ce qui n'en est que l'accessoire*, le signifie clairement.

1. Pour un aperçu général, voir Jacqueline Lagrée, *La Religion naturelle*, 1991.

Tout se ramènerait-il alors à un phénomène de géopolitique religieuse ? Ce qui était déjà familier chez les Anglais ou les Suisses aurait encore fait scandale en France et à Genève ? L'explication serait un peu courte. La question qui se pose à nous se précise : qu'est-ce qui, dans la religion naturelle prêchée par la *Profession de foi*, produit un effet polémique aussi puissant pour l'ensemble des discours constitués, religieux ou philosophiques ?

On ne saurait répondre à cette question sans d'abord rendre compte du long cheminement par lequel Rousseau est passé pour constituer sa philosophie religieuse et du travail dont résulte le texte de la *Profession de foi*.

Les formations religieuses de Rousseau

On partira ici d'un paradoxe : alors que le rôle de la religion a été très précoce dans la vie et dans la conscience intime de Jean-Jacques Rousseau, ce n'est que très tardivement et difficilement que le philosophe Rousseau parviendra à formuler une pensée religieuse proprement philosophique. On pourrait même avancer que c'est avec la *Profession de foi* que Rousseau, estimant être enfin parvenu à ce point, complète ce qu'il appellera toujours son « système ». Il insistera à plusieurs reprises (par exemple dans la lettre à Franquières du 15 janvier 1769) à la fois sur les efforts pénibles qu'il avait dû consentir pour formuler sa pensée de façon, à ses yeux, satisfaisante et sur le caractère d'aboutissement de ce texte. C'est à rendre compte de ce paradoxe qu'on s'attachera ici.

De l'enfance genevoise de Rousseau nous savons positivement peu de chose[1], sinon qu'il appartenait à

1. Dans ce domaine, les ouvrages essentiels sont l'œuvre maîtresse de Pierre-Maurice Masson, *La Religion de Jean-Jacques Rousseau op. cit.*, et la somme plus récente de R. Grimsley, *Rousseau and the Religious Quest*, 1968. Ces ouvrages relèvent l'un et l'autre d'une

une famille authentiquement calviniste, qu'il fut entre dix et douze ans pensionnaire chez un pasteur, qu'il reçut l'éducation religieuse commune (le statut de l'apprenti qu'il fut ensuite deux années comprenait officiellement le suivi des offices et de « l'école du dimanche »). Le passage chez le pasteur Lambercier et des lectures insolites pour son âge[1] lui avaient donné, dans ce domaine aussi, un bagage plus étendu que le plus grand nombre. L'empreinte en fut profonde. Lorsque, vingt-cinq ans plus tard, il cite les Psaumes, c'est dans le texte qu'il a chanté au temple[2]. On a justement souligné ce que la prosodie, si singulière, des textes de Rousseau devait à la prédication calviniste. On ne doit pas considérer pour autant que la préoccupation religieuse ait été chez lui, à ce moment, cruciale : lorsqu'il quitte Genève (en 1728) et doit pour cela se convertir au catholicisme, on ne peut dire que le sentiment religieux joue un rôle essentiel, ni pour le retenir (les scrupules qu'il évoque dans les *Confessions* paraissent assez formels et tardifs), ni pour l'y pousser : ce n'est manifestement pas pour rejoindre un catholicisme auquel il aurait déjà adhéré que ce Genevois de seize ans s'expatrie. Au demeurant, le passage au San Spirito[3], dans les récits

---

tendance que le titre de Masson résume fort bien et qui consiste à fondre l'étude du sentiment religieux chez Jean-Jacques Rousseau et l'analyse de la philosophie religieuse qu'il constitue. Plus généralement, l'implication des circonstances de leur écriture dans le corps même de ses œuvres, constante chez Rousseau, la reprise qu'il en fait dans son entreprise autobiographique (les *Confessions*, les *Rêveries*, les *Dialogues*) ont contribué à forger une tradition critique assez singulière qui consiste à traiter de sa pensée en termes psychologiques et à considérer les concepts comme l'effet des affects. Cette démarche relève plus de la biographie intellectuelle ou de l'histoire de la pensée que de la philosophie.

1. Il cite, dans les *Confessions*, Le Sueur, *Histoire de l'Église et de l'Empire*, Genève, 1674-1688.

2. Il s'en souvient avec émotion dans la *Lettre à d'Alembert sur les spectacles*.

3. Cet « hospice » avait pour spécialité, comme il le raconte au début de la *Profession de foi* et dans les *Confessions*, de recevoir les « catéchumènes », autrement dit ceux que l'on avait amenés à se convertir au catholicisme.

qu'il en donne, ne fut jamais pour lui un événement à forte consonance religieuse. La brève tentative au séminaire d'Annecy faite durant l'été 1729 n'en eut guère plus : il s'agissait de se trouver une « condition », et Rousseau ne s'adapta évidemment pas.

On ne saurait en dire autant des années qu'il va passer auprès de Mme de Warens, à Annecy, à Chambéry, aux Charmettes (de 1729 à 1739). Là, il vivra dans une ambiance, minutieusement décrite par P.-M. Masson, où la religion tient une place essentielle. Sous une forme sociale d'abord. Nouvelle convertie elle-même, Mme de Warens est une sorte de relais informel avec les cantons calvinistes proches d'Annecy. Chez elle fréquentent de nombreux ecclésiastiques, à commencer par Mgr de Bernex, évêque d'une grande piété, évoqué par Rousseau dans une curieuse note de 1742[1]. C'est, directement ou non, des subsides que cette fonction informelle (de nature quasiment consulaire) lui vaut que vit Mme de Warens, et avec elle Rousseau. Plus cultivés, ayant des idées religieuses plus larges que de coutume, ces prêtres jouent un rôle important dans la formation de Jean-Jacques Rousseau. Mais la place de la religion dans la vie des Charmettes a aussi un tout autre aspect. Mme de Warens est adepte d'un christianisme très personnel et assoupli, qui doit sans doute beaucoup au piétisme ambiant dans son milieu d'origine. Dans les *Confessions*[2], Rousseau nous décrit son credo un peu spécial, sans péché originel ni châtiment éternel. Le vicaire n'en sera pas très loin. Quelques textes datant de cette période, deux prières, surtout, très simples et touchantes, montrent un Rousseau profondément croyant, sur le mode de l'évidence et de l'immédiateté qu'il évoquera en écrivant à Franquières

1. Publiée dans OC IV, p. 1040 sq. Il y est sur le point — mais cela ne relève-t-il pas surtout de la complaisance pour Mme de Warens ? — de se donner pour témoin d'un miracle : un feu détourné par la prière.

2. OC I, p. 228-229; GF, vol. I, p. 268-269.

(Lettre de janvier 1769) : « J'ai cru dans ma jeunesse par sentiment[1]. »

On pourrait être surpris que la disparité, du point de vue dogmatique, des éducations religieuses ainsi reçues par Rousseau ne l'ait pas poussé vers un souci de clarification intellectuelle, de nature proprement théologique. C'est compter sans le relativisme assez permissif qui caractérisait la profession de foi de Mme de Warens. C'est surtout ne pas voir que la curiosité intellectuelle de Rousseau est alors distincte d'une religiosité très sentimentale, et que le souci de cohérence, de systématicité, ne lui viendra que très tard ; et alors avec d'autant plus de force[2]. Aussi bien, dans les années qui vont suivre, le décalage ira croissant entre le sentiment religieux, qui, sans doute, persiste chez Rousseau, et la culture nouvelle que dans sa vie parisienne il va acquérir.

Rousseau, sous l'influence de Diderot et des encyclopédistes, de Duclos, de Grimm, d'Holbach, qui furent tous, dans les années parisiennes (1744-1754), ses relations assidues et pour plusieurs d'entre eux ses amis, a-t-il été tenté par l'incrédulité, comme le jeune disciple qu'il donne au vicaire ? La question ne semble pas s'être posée dans ces termes : d'un côté, la ferveur religieuse s'était faite plus discrète, l'esprit étant tout entier tiré par d'autres intérêts[3], de l'autre la vigueur critique des rationalistes, dont il partage l'orientation de pensée, passe son credo au crible, jusqu'à l'exténuer[4].

1. Ces textes sont publiés dans OC IV, p. 1033 sq. Sur l'atmosphère de religiosité des Charmettes, parfois avec des angoisses du péché, il faut lire tout le livre VI des *Confessions*.

2. C'est sans doute dans le débat qui suivit la parution du *Premier Discours*, donc après 1750, que Rousseau conçut la nécessité tant intellectuelle que morale de rendre cohérentes ses pensées entre elles, puis ses pensées et son existence. Il n'aura plus d'autre souci.

3. Rousseau est bien occupé dans ses années par son activité de musicien, ses tentatives d'homme de théâtre, sa découverte du « monde » et ses velléités, comme il dit, de « se pousser ».

4. Le résumé qu'il fait de son credo en 1754, dans *Les Confessions*, en donne une bonne image : OC I, p. 392-393 ; GF, vol. II, p. 142-143.

Au moment où Rousseau va, selon l'expression très juste de Victor Goldschmidt, « constituer son discours », sa pensée ne se caractérise ni par son caractère religieux (les discours apologétiques étaient pourtant très répandus et il les connaissait) ni antireligieux, et on chercherait en vain chez lui le travail de corrosion de la pensée religieuse traditionnelle auquel Diderot et Voltaire, avec et après bien d'autres, s'employaient. On pourrait aller plus loin et dire que l'originalité du premier Rousseau, celui des *Discours*[1], est de ne pas constituer sa philosophie par référence à la question religieuse, de contourner même ce qui était la question cruciale de son époque. Cela, sans doute, parce que son horizon théorique est d'emblée anthropologique : savoir comment l'homme se fait, se défait[2]. La chose est d'autant plus remarquable que la « révélation de Vincennes[3] », consistant à prendre à rebours le discours sur le progrès, les sciences et la raison alors dominant, aurait pu facilement se placer sur un terrain immédiatement religieux et théologique. Rousseau aurait pu être aux Lumières ce que Pascal avait été au siècle classique. Ce n'est pas sa voie. Dans les *Discours*, ce n'est pas Dieu mais la nature qui est le paradigme à partir duquel penser l'homme. Ce qui est vrai du *Premier Discours* l'est encore plus peut-être du *Second*, même si Dieu, comme auteur de la nature et « celui de mon être », n'est jamais oublié. Si, dans cette période, Rousseau aborde la religion, c'est comme phénomène social, pour le rôle qu'elle joue dans l'ordre de la politique et des mœurs. Tel est le contenu du fragment des *Conseils à un curé*[4] qui donne à

1. Pour une esquisse rapide de l'itinéraire de Rousseau, voir Bruno Bernardi, « Rousseau », *in* Laurent Jaffro et Monique Labrune (dir.), *Gradus philosophique*, Paris, GF-Flammarion, 1994.

2. L'expression est de Pierre Burgelin dans son annotation de l'*Émile*.

3. Un après-midi d'octobre 1749, Rousseau se rend à Vincennes voir son ami Diderot incarcéré et il découvre le sujet mis au concours par l'académie de Dijon : « Si le rétablissement des sciences et des arts a contribué à épurer les mœurs », il entrevoit son « grand et funeste système ».

4. Publié dans OC II, p. 1260-1261. Ce texte date sans doute de

l'ecclésiastique pour maître « le devoir » et conclut : « Je consens que vous leur appreniez toutes les balivernes du catéchisme, pourvu que vous leur appreniez aussi à croire en Dieu et à aimer la vertu. Faites-en des chrétiens puisqu'il le faut, mais n'oubliez pas le devoir plus indispensable d'en faire d'honnêtes gens. »

Il serait inconcevable et controuvé d'opposer, pour le Rousseau de cette époque, une croyance privée et une philosophie d'incrédule. Le texte de la *Réponse au roi de Pologne*[1] serait là pour montrer le contraire. Mais on doit constater que c'est dans un second temps de sa démarche philosophique que Rousseau a constitué le versant religieux de sa pensée, ayant d'ailleurs pour cela des difficultés à accorder son propos sur la religion civile et sur la religion personnelle. Pourquoi un tel détour lui a-t-il été nécessaire ? Comment a-t-il été possible ? C'est la genèse de la *Profession de foi* qui répond à cette question.

La « Profession de foi », une œuvre mûrement réfléchie

L'histoire intellectuelle de la *Profession de foi* commence sans doute le 1er août 1754. Ce jour-là, à sa demande, Rousseau est réintégré dans l'Église de Genève. C'est un acte civique[2] et moral avant tout. Rousseau en fait un récit très intéressant au livre VIII des *Confessions*[3] en ce qu'il trace un portrait, rétrospectif sans doute mais fiable, de l'état de sa conscience d'alors : une croyance en « l'essentiel de la religion », débarrassée « par la philosophie » de « ce

1752. Dans le même temps, Rousseau entreprenait la réflexion sur la religion civile qui se poursuivrait dans les textes préparatoires et définitifs du *Contrat social*, mais aussi dans les dernières pages de la *Profession de foi*, et dans les *Lettres écrites de la montagne*.

1. Voir OC III, p. 35 sq.; GF, p. 71 sq.
2. La Dédicace du *Second Discours* l'explicite.
3. OC I, p. 392-393; GF, vol. II, p. 142-143.

fatras de petites formules », et une sorte de légalisme en matière de religion civile. Dans la démarche de radicalisation et la recherche de cohérence qui l'animent alors (ce qui le conduira à quitter Paris, non pour Genève, comme il l'avait d'abord pensé, mais pour l'Ermitage que lui a préparé Mme d'Épinay), il va se sentir engagé par cet acte et va chercher à approfondir son credo. Coup sur coup, dans sa retraite, Voltaire puis d'Alembert le poussent dans cette voie.

C'est le 3 avril 1756 que Rousseau s'installe à l'Ermitage[1] ; le 18 août, il envoie à Voltaire sa *Lettre sur la providence* : c'est donc une des premières tâches qu'il s'était données dans sa nouvelle vie. Ce premier essai sur le terrain proprement religieux et métaphysique est à bien des égards déconcertant[2]. Rousseau semble déjà en possession de la thématique qui sera celle de la *Profession de foi.* L'équilibre complexe entre doute, exigence de la raison et foi y est élaboré. L'argumentation par l'ordre et la finalité naturelle occupe la place centrale. Le problème du mal y apparaît déjà comme le plus pertinent[3], l'argument par la « consolation » (qui deviendra celui de l'espoir) comme le plus déterminant. Pourtant la pensée de Rousseau n'a pas encore trouvé son assiette, et ce n'est pas seulement parce que l'argumentation n'a pas encore la densité qu'elle acquerra dans la *Profession de foi.* Rousseau, répondant au poème *Sur le désastre de Lisbonne* que venait de publier Voltaire, intervenant de fait dans un débat proprement métaphysique (alors désigné comme querelle sur l'optimisme) et dont les termes avaient été depuis longtemps élaborés, se trouve intervenir dans une problématique qu'il n'a pas

1. *Les Rêveries du promeneur solitaire* font un récit attendri de ce qui est vécu comme une renaissance.

2. Il est exclu dans le cadre de cette introduction d'étudier pour lui-même ce texte essentiel.

3. Voltaire le soulevait en évoquant les horreurs du tremblement de terre qui avait ravagé Lisbonne. Rousseau tente de démontrer que l'homme est responsable des souffrances subies, résultat des modifications qu'il a apportées à la nature.

formée et qu'il ne parvient manifestement pas à articuler sur sa propre démarche de pensée.

C'est un rôle analogue que joue, un peu plus tard, à l'automne 1757, la publication par d'Alembert dans le tome VII de l'*Encyclopédie* de son article « Genève ». Il y soutient la création d'un théâtre dans la ville, chose contraire aux règles calvinistes. Il commence par décrire Genève, son évolution, celle de son clergé, dont il dit qu'une grande part est gagnée au « pur socinianisme », autrement dit au rejet de la révélation pour une religion « naturelle ». Dès mars 1758 paraît la *Lettre à d'Alembert sur les spectacles*. C'est par le point de théologie que commence Rousseau, une fois encore parce que d'Alembert, comme Voltaire abordant le problème du mal, a touché à des questions essentielles : celles de la vie éternelle et de la révélation. La mise en cause des pasteurs genevois touche Rousseau, parce qu'il se pense très proche d'eux (beaucoup plus qu'il ne l'est réellement, comme leur réaction à la *Profession de foi* le montrera). Cependant il bifurque bien vite vers la question des spectacles : c'est là son objet essentiel; c'est aussi, répétons-le, que Rousseau ne peut pas encore formuler les problèmes religieux dans les termes qui lui sont propres.

Que, dans cette période, Rousseau ait cherché à conquérir la position à partir de laquelle il pourrait s'exprimer de façon positive en matière religieuse est bien mis en évidence par le très beau morceau allégorique ou fiction *Sur la révélation*[1], qui semble, à bien des égards, une anticipation de la *Profession de foi*. Longue exaltation de l'ordre cosmique, ce texte se termine sous le double signe de Socrate et de Jésus : Rousseau y montre le rôle du sage, avant tout critique (grâce à la raison enlever le bandeau de l'ignorance et de la superstition), et celui du Christ, voix de la vérité.

Si les textes que nous venons d'évoquer sont des jalons de la démarche intellectuelle qui conduit à la

1. Publié dans OC IV, p. 1044-1054, ce texte date de 1756 ou 1757. Le titre, discutable, n'est pas de Rousseau.

Profession de foi, ceux que nous allons aborder appartiennent déjà d'une certaine façon à la préhistoire même de notre texte. Les années 1757 et 1758 sont des années pleines pour Rousseau. *La Nouvelle Héloïse* est en chantier. Ce roman par lettres a parmi ses objets, comme Rousseau le rappelle à son ami Vernes dans une lettre du 24 juin 1761, « d'apprendre aux philosophes qu'on peut croire en Dieu sans être hypocrite et aux croyants qu'on peut être incrédule sans être un coquin ». Il est donc le lieu non seulement de la confrontation avec Dieu et la religion, mais aussi d'interrogations sur les rapports entre vertu et foi. La dernière partie du roman, où l'on assiste à la mort de Julie, est l'occasion pour Rousseau de rédiger ce qu'il appellera lui-même une « profession de foi », celle même d'une « dévote », ce terme étant ici, exceptionnellement, employé par Rousseau de façon non péjorative. Des passages entiers de ces textes seront repris par la *Profession de foi*. Mêlant fiction et réalité, Rousseau avait, durant l'année 1757, mené une idylle épistolaire, tumultueuse et finalement malheureuse, avec Mme d'Houdetot. Des lettres pour roman, Rousseau était passé à des *Lettres morales*, dans lesquelles il s'était un moment rêvé le directeur de celle qu'il appelait Sophie. Il s'agissait de lui indiquer les principes selon lesquels une âme pure dans un monde corrompu, une âme simple dans un monde factice, décidée à n'obéir qu'à la loi de sa conscience, pouvait déterminer ses sentiments et conduire son existence.

C'est en marge de ces pages de *La Nouvelle Héloïse* et des *Lettres à Sophie*[1], parfois même en les constituant comme brouillons du nouveau texte, que, dans l'année 1758, Rousseau a rédigé, comme l'a montré Pierre-Maurice Masson de façon très argumentée, une première version de la *Profession de foi du vicaire savoyard*. Il venait de trouver la voie à partir de

1. La correspondante réelle ayant mis un terme à l'échange, Rousseau abandonne en route l'entreprise et la reprend en s'adressant au public. On trouve le texte de ces lettres dans OC IV, ainsi que dans le recueil *Lettres philosophiques* édité par Henri Gouhier.

laquelle il pouvait formuler, de façon enfin satisfaisante à ses yeux, sa philosophie de la religion. De quelle nature était cette découverte ?

Les lettres, le roman par lettres, après l'essai de fiction : de toute évidence, Rousseau cherchait la forme spécifique qui permettrait l'exposition de ce qui relevait, sentiment et pensée, proprement d'une *personne*. Cette question de la forme d'énonciation de la pensée philosophique est, de fait, au travail dans toute son œuvre. Victor Goldschmidt a montré que le souci de la composition est chez lui constitutif de la formation de la pensée. À l'exception majeure du *Contrat social*, les formes adoptées par Rousseau, que ce soit le discours (les deux *Discours*, mais aussi l'*Essai sur l'origine des langues* ou même l'article « Économie politique » de l'*Encyclopédie* qui en prend la forme[1]), la lettre fictive ou déplacée (*Lettre sur la musique française, Lettre à Voltaire sur la providence, Lettre à d'Alembert sur les spectacles, Lettre à Christophe de Beaumont, Lettres écrites de la montagne*), le roman (l'*Émile*), obéissent toujours à cette double contrainte : position en première personne du scripteur, à la fois sujet de l'énonciation et personnalité impliquée dans l'acte d'écrire, forme adressée du discours, directement au lecteur (les *Discours*) ou indirectement par le biais du correspondant (les *Lettres*) ou de l'interlocuteur fictif (dans l'*Émile*). Un étonnant malentendu fait que ces particularités du discours de Rousseau conduisent souvent à lui dénier un statut philosophique, quand son travail proprement philosophique y est tout entier engagé.

La forme de la *Profession de foi* n'est pas une simple répétition de celles que nous venons d'évoquer. On comprendrait mal autrement pourquoi, dans une structure qui réalise déjà l'effet requis, le roman pédagogique[2],

1. Ce qui justifie sur le fond la dénomination formellement erronée de *Discours sur l'économie politique* qui est devenue la sienne.

2. L'*Émile* se présente comme le compte rendu par Rousseau de l'éducation qu'un gouverneur, avec lequel il se confond souvent, donne au jeune Émile, à la fois l'enfant en général et un individu singularisé.

Rousseau aurait de façon redondante inscrit le récit de la *Profession de foi.* Le précepteur s'adresse en son nom propre à Émile et s'implique dans son propos. En quoi Rousseau était-il empêché de lui prêter le discours du vicaire ? Est-ce parce qu'il fallait en matière de religion un homme « qualifié » ? C'est, tout au contraire, comme homme sans qualités que le vicaire va se présenter. Serait-ce parce qu'il s'est contenté de greffer dans son roman la *Profession de foi* ? Coutumier de ces greffes de textes [1], il n'aurait guère été en peine de la masquer. En écrivant les *Lettres à Sophie*, plus encore en rédigeant, par Wolmar interposé, la profession de foi de Julie sur son lit de mort, Rousseau avait découvert le mode de pensée singulier que la forme de la profession de foi autorise. Professer, c'est poser une chose comme vraie, c'est la poser comme vraie pour soi, mais ce n'est pas la présenter comme un savoir que l'on démontre, ni comme une vérité que l'on dispense. Ce n'est ni une leçon ni un sermon. Profession de foi, autrement dit de ce à quoi on accorde sa confiance, et envers quoi on s'engage, non ce que l'on considérerait comme un acquis. C'est très exactement le registre de la *Profession de foi.* C'était aussi celui dont la *Lettre à Voltaire* [2] marquait la place : « Quant à moi, je vous avouerai naïvement que ni le pour ni le contre ne me paraissent démontrés sur ce point par les lumières de la raison. [...] Je conviens de tout cela, et pourtant l'état de doute est un état trop violent pour mon âme, quand ma raison flotte, ma foi ne peut rester longtemps en suspens et se détermine sans elle ; enfin, mille sujets de préférence m'attirent du côté le plus consolant et joignent le poids de l'espérance à l'équilibre de la raison. » Avec la *Profession de foi*, Rousseau a trouvé sa voix et son registre.

Faut-il donc ramener à l'élaboration d'un procédé

1. C'est une technique constante de Rousseau de copier, recopier ses textes (comme il le fait pour ceux des autres), et de les insérer par pages entières dans l'œuvre en cours.

2. OC IV, p. 1070.

littéraire adéquat le travail qui permet à Rousseau d'accéder à la constitution et à la formulation de sa philosophie religieuse ? Il serait bien léger de sous-évaluer cet aspect, mais, plus encore, cette conquête dans la position d'écriture est à la fois le reflet, et l'outil, d'une autre conquête dans la position de pensée. Le texte de la *Lettre à Voltaire* que nous avons cité y intervient en fin de course, comme si Rousseau venait, en tant que personne, porter appui à une argumentation dont il sentait la fragilité. Dans la *Profession de foi*, tout au contraire, c'est parce qu'ils s'interrogent sur eux-mêmes que le vicaire et son jeune disciple vont venir vers Dieu. C'est pour lui indiquer la voie dans laquelle conduire sa vie que le vicaire fait à son jeune disciple sa profession de foi. Rousseau dit lui-même très souvent que ce sont les œuvres qui importent, autrement dit que la religion est faite pour la conduite de l'existence. On a pu affirmer que la pensée religieuse de Rousseau était en fait entièrement déterminée par sa philosophie morale. « Le dogme n'est rien, la morale est tout », disait-il dans un brouillon de la *Lettre à Voltaire*. On peut tenter de formuler de façon plus précise et adéquate sa problématique.

Nous l'avons dit : dans les deux *Discours*, et de façon générale jusqu'en 1755, la problématique religieuse n'apparaît pas au premier plan dans l'œuvre de Rousseau, parce que sa réflexion porte sur l'humanité, son histoire, la société, et les effets qu'elle produit en l'homme. Il y a d'une part Dieu comme auteur de l'univers, de l'autre la religion civile ; entre les deux, rien, ou fort peu. Au travers de *La Nouvelle Héloïse* et des *Lettres morales*, dans le mouvement croissant d'introspection qui l'anime depuis son arrivée à l'Ermitage, c'est de la conduite de la vie personnelle que Rousseau se préoccupe, c'est la personne qui est au centre de sa réflexion. À partir du moment où le projet de l'*Émile* se précise, la problématique se trouve fortement déplacée et va trouver un deuxième niveau d'unité, donnant désormais à la question religieuse une place centrale. Le terrain de la pensée de Rousseau est et reste fondamentalement anthropologique, mais quand la problématique première était, pourrait-on dire, d'anthropologie politique, l'*Émile* opère un déplacement vers ce qu'on pourrait appeler une anthropologie de la personne. Dès lors, les réponses qui prévalaient dans le cadre des *Discours* demandent à être complétées. Adressée à l'individu, la question du mal est renouvelée : si la bonté nous est naturelle, comment rendre compte du mal que nous pouvons faire ? Si la personne se définit par le sentiment de son unité, de son existence, comment concevoir que nous puissions finir ? Si nous sommes naturellement libres, qui nous dit quel usage faire de notre liberté ? Ces questions que *La Nouvelle Héloïse* désigne et que l'*Émile* pose, la *Profession de foi* aura précisément pour objet d'y répondre.

Cette fois, Rousseau a ouvert sa propre problématique à une réflexion sur la religion, en partant de ses propres questions. « Qui est-ce qui sait être heureux ? », demande le disciple au vicaire. « C'est moi », répond-il ; et sa *Profession de foi* n'est que le développement de cette réponse. Le dernier mot en sera : « Il n'y a que l'espoir du juste qui ne trompe point. » Le débat religieux du XVIIIe siècle se déployait sur un terrain essentiellement défini comme celui de la connaissance, se pensait en termes de vérité. La longue et interminable polémique sur les miracles (de Bayle à Voltaire), les débats sur la providence et le finalisme, sur la révélation et son historicité portaient avant tout sur le conflit entre religion et rationalité. Aussi bien est-ce là l'objet même des Lumières. Rousseau lui-même s'était laissé entraîner sur cette voie, dans la *Lettre à Voltaire* ; il y revient dans la *Profession de foi*, un peu comme on consent à affronter des passages obligés. Mais la problématique religieuse qui est la sienne se constitue en fait sur un tout autre terrain, celui de la pratique, du désir.

Le vicaire, personnage conceptuel

Rousseau, le vicaire ? Celui-ci n'est pas seulement un prête-nom, comme l'est le précepteur. Ce n'est pas non plus un personnage réel, même si Rousseau le leste de réalité. Comprendre le statut du vicaire ne renvoie ni à la fiction ni à l'anecdote, mais demande de comprendre sa fonction proprement conceptuelle.

Pour introduire le texte de la *Profession de foi*, Rousseau élabore un dispositif complexe. Il annonce la « transcription » d'un « papier » qu'il aurait reçu (la copie faite pour Moultou commence par les mots « Mémoire communiqué ») et dont il garantit l'authenticité. Celui-ci commence par le récit de la conversion au catholicisme d'un jeune calviniste, à Turin, dans des conditions scabreuses (il est l'objet d'avances sexuelles), et de l'aide que lui apporte un « honnête ecclésiastique », qui va devenir son mentor : le vicaire. La proximité avec l'histoire personnelle de Rousseau[1], le fait qu'il indique le nom des deux prêtres qui lui auraient servi de modèles[2], l'histoire singulière prêtée au vicaire[3], tout se conjugue pour traiter la figure du vicaire sur le mode de l'anecdote[4]. Il n'y a pourtant rien à en apprendre, sinon peut-être que le rejet du célibat chez Rousseau se distingue du différend théologique entre catholiques et protestants, tout autant

1. Il l'a racontée au livre II des *Confessions*.
2. L'abbé Gaime et l'abbé Gâtier.
3. Ne pouvant respecter la règle du célibat, il aurait préféré avoir une liaison avec une femme non mariée (par respect pour le mariage et refus de l'hypocrisie). La venue d'un enfant l'aurait exposé à des sanctions. En pratique et en principe, il continuera à rejeter la règle de chasteté comme prétention à nier la nature de l'homme.
4. Une abondante littérature s'est développée sur ces thèmes, dans deux directions majeures : psychobiographique, pour comparer les récits de la *Profession de foi* et des *Confessions* entre eux et à la « réalité », et historico-policière : une longue enquête a été consacrée à la réhabilitation de la vertu de l'abbé Gâtier, calomnié par Rousseau. Il nous a paru inutile de contribuer à cette entreprise.

que de la gaudriole commune au siècle de *La Religieuse* : il a une valeur anthropologique et morale ; il s'agit de se reconnaître comme homme.

Pourtant, le personnage du vicaire a beaucoup à nous apprendre, moins par ce qu'il est que par ce qu'il n'est pas. Il n'est pas un puissant[1], il n'est pas un savant[2], il n'est pas un saint[3]. La puissance est pour Rousseau l'obstacle premier à la reconnaissance de la vérité : elle a partie liée avec les masques et la dissimulation. La science est ce qui ne peut être que réservé à un petit nombre[4] ; « ce qui nous importe » doit être accessible à tous. Le vicaire « est homme » et, ce qu'il est, tout homme doit pouvoir l'être. L'homme, sans qualité. Le second de ces trois caractères est déterminant. Le vicaire le redouble : non seulement, en effet, il ne se prévaut d'aucune science supérieure, mais il se défait de celle qu'il croyait avoir, les « tristes observations » qu'il fait le conduisant au doute. On pense bien entendu à Descartes ; et, dans un premier moment, la *Profession de foi* semble imiter le *Discours de la méthode*[5]. Mais la démarche du vicaire et celle de Descartes diffèrent essentiellement : le doute, pour Descartes, est ce qui affecte l'idée incertaine ; il est l'outil de la recherche de la certitude : surmonter le doute, c'est accéder à la science. Ce n'est pas la science qui est l'horizon du vicaire, mais la conduite de son existence ; le doute s'oppose à la décision sur ce qui nous importe. Le doute ne précède pas la connaissance certaine, mais suit de ce que certaines choses sont inaccessibles à notre savoir ; il faut donc croire.

1. « Je suis né pauvre et paysan. »
2. « J'appris ce qu'on voulut que j'apprisse. »
3. « En m'obligeant de n'être pas homme, j'avais promis plus que je ne pouvais tenir. » Ce qui n'empêche pas Rousseau de dire : « le saint homme ». C'est plus précisément l'angélisme que Rousseau récuse. Qui veut faire l'ange fait la bête. Montaigne et Pascal, lecteur de Montaigne, ne sont jamais très loin chez lui.
4. Le même argument vaudra contre la révélation.
5. Un article de H. Gouhier, « Ce que le vicaire doit à Descartes », repris dans *Les Méditations métaphysiques de Jean-Jacques Rousseau*, étudie cette relation de très près.

Pourtant la filiation est profonde de Descartes au vicaire. Dans une page très stimulante[1], Henri Gouhier trace une sorte de généalogie de ce qu'il appelle un « rôle du répertoire de la pensée occidentale » qui, incarné d'abord par Socrate, puis par Descartes, aboutirait au vicaire. Son nom aurait été fixé par Nicolas de Cues : l'Idiota. « L'Idiota est celui dont le non-savoir est un savoir, l'ignorance une docte ignorance. » Tel est bien le vicaire, dont la qualité est précisément de n'en avoir pas. Cela, comme nous l'avons vu, parce qu'il est ainsi ce que tout homme peut être et parce que ce à quoi il se détermine est la commune destination. La « docte ignorance » est négative, elle dissout les faux savoirs, les dogmes arbitraires, les prétendues autorités; elle est positive aussi : par le retour sur soi qu'elle implique, elle dit à l'homme ce qu'il peut. Le « démon » de Socrate, « le bon sens » de Descartes sont ainsi comme l'expression d'un vœu de pauvreté de la raison qui renonce aux savoirs, richesse des doctes, et se satisfait du peu qu'elle tire d'elle-même. Et ce peu est beaucoup : réminiscence, monde des Idées, « longues chaînes de raison », « solide édifice ». Pour le vicaire, ce sera « le dictamen de la conscience », et tout ce que lui découvre « le sentiment intérieur ». La notion de « personnage conceptuel » forgée par Gilles Deleuze[2] semble très opératoire ici et permet de penser, derrière le dispositif rhétorique, ce que l'on peut appeler un dispositif théorique. Le Socrate de Platon, le Je de Descartes, le vicaire de Rousseau déterminent chacun le sien. Il convient de préciser celui auquel répond le vicaire et les effets qu'il produit[3].

1. *Ibid.*, p. 62-63.

2. Dans *Qu'est-ce que la philosophie?* Paris, Minuit, 1991, p. 60 sq., Gilles Deleuze, bien qu'il ne fasse référence ni à Rousseau ni à Henri Gouhier, semble prolonger la remarque de celui-ci. Le vicaire en tout cas montre la pertinence et la validité de ses propositions.

3. Pour ne pas alourdir les développements qui suivent d'un appareil de références incompatible avec le cadre d'une simple introduction, nous renvoyons à notre annotation de la *Profession de foi* qui précise et étaye certains points.

Le vicaire n'est pas Rousseau. Ce point est fondamental, mais ne concerne ni la psychologie ni la tactique éditoriale[1]. Il faut seulement constater que ce dédoublement a une nécessité. Laquelle ? Que Rousseau écrive le *Contrat social*, s'adresse à Voltaire aussi, parle comme l'auteur de l'*Émile*[2], celui de la *Lettre à Christophe de Beaumont* ou des *Lettres écrites de la montagne*, il va très exactement jusqu'où sa raison le fait aller. Cela a pour lui deux conséquences : ne pas aller au-delà de cette limite, constater que cette limite existe. La question de savoir si la démarche de Rousseau est rationaliste serait, si l'on en restait là, strictement sans objet. Rousseau d'ailleurs entend bien demeurer à ce point, dans toute la mesure où cela est possible.

Cela signifie, d'abord, un refus catégorique de se prononcer sur ce qui n'est pas à la portée de notre raison. Témoin le refus de décider sur la notion de création. Rousseau s'inscrit ainsi très clairement dans un courant de limitation du champ d'exercice de l'entendement humain, qui avait déjà connu avec l'empirisme anglais et Condillac des expressions très vigoureuses, et qui allait avec Kant en recevoir une bien différente, mais tout aussi décidée. Rousseau, au demeurant, présente une figure originale[3], plus proche peut-être de Kant qu'on ne croirait : elle est avant tout marquée par l'insistance sur l'*activité* de la raison et son pouvoir de *liaison*. Dans ce cadre, y a-t-il une place pour Dieu ? Oui, celle que lui donnait toute la discussion de la *Lettre à Voltaire*, celle que lui donnent les laborieuses dissertations de la première

1. Rousseau a essayé, au hasard de la polémique, d'utiliser le statut de la fiction pour « légalement » mettre hors de cause sa responsabilité, mais c'était sans aucune conviction.

2. Le précepteur qui le représente aussi, ce qui n'est pas sans conséquences.

3. Il est totalement impossible de voir chez lui un quelconque « mépris de la raison ». C'est la « raison raisonneuse », c'est-à-dire la raison qui prétend aller au-delà de ce qu'elle peut, que Rousseau raille ; et c'est bien différent.

partie de la *Profession de foi* sur le premier moteur, les causes finales et l'ordre de la nature. Autrement dit, un théisme assez froid que rien ne distingue de celui de Voltaire ou de bien d'autres.

Mais en rester là n'est pas possible. L'état de doute sur ce qui relève de la pure spéculation est supportable. Reconnaître les limites de notre pouvoir de connaissance est indispensable. Mais il faut vivre. Vivre, c'est décider, juger, espérer, agir. Là, le doute devient un état trop « violent », il est impraticable. Ce domaine dans lequel il nous faut nous prononcer, alors que notre raison ne peut le faire, est celui de « ce qui nous importe ». C'est celui du vicaire. Il trouve sa nécessité dans la source unique de toutes nos déterminations : l'*amour de soi*, les « soins que nous nous devons à nous-mêmes ». C'est dans cette profondeur que s'enracine un *instinct* qui dit, comme les instincts le disent au corps, « ce qui nous importe ». C'est la *conscience*, ou *sentiment intérieur.* S'agit-il pour autant d'une démission de la raison qui, devant sa défaillance, laisserait la place à un principe supérieur ? Cela est contradictoire avec les déclarations explicites, répétées, constantes, de Rousseau, aussi bien qu'avec la démarche qu'il met en œuvre. Il est un point, dans notre volonté de connaissance, au-delà duquel la raison ne peut nous faire aller. Le sentiment intérieur, répondant à notre besoin de décider sur ce qui nous importe, nous pousse dans une direction. Mais ce choix pratique, ou plutôt vital, ne saurait être fait contre la raison, il doit être tolérable pour elle. Elle doit se reconnaître en lui[1]. Surtout, il s'agit alors de

1. Dans le domaine de « ce qui nous importe », la raison n'a plus, comme lorsqu'il s'agit de savoir, un rôle producteur mais régulateur. Le sentiment intérieur demande, la raison consent. On remarquera que la figure est la même que celle qui inaugure le *Contrat social* (préambule du livre I), lorsque Rousseau déclare vouloir « allier toujours dans cette recherche ce que le droit permet avec ce que l'intérêt prescrit ». Le droit est à l'intérêt ce que la raison est à l'instinct divin. Cette isomorphie semble essentielle. Elle demanderait une étude frontale.

croire, non de savoir. Le vicaire est ce relais que Rousseau prend de lui-même, et la *Profession de foi* est l'exposition[1] de ce que la voix intérieure dit. On pourrait avancer l'expression de « foi rationnelle ».

La religion naturelle et son objet

La question pourtant demeure : qu'est-ce qui rend nécessaire ce dispositif théorique, auquel la figure du vicaire répond ? Quel est ce domaine, dans lequel notre raison ne peut se déterminer d'elle-même à constituer une connaissance et qui nous importe à ce point que nous ne puissions rester dans le doute ? Qu'est donc *ce qui nous importe ?* L'examen du contenu de la *Profession de foi* nous montre qu'il s'agit de quelques questions essentielles, qui font pour Rousseau tout l'objet de la religion naturelle :

— Puis-je espérer que la souffrance du juste, dans ce monde, sera compensée par la conservation de l'identité du moi, dans l'autre ?

— Comment la bonté naturelle de l'être humain peut-elle produire ce mal dont Dieu ne peut être responsable ?

— Comment l'amour de soi, qui est notre premier principe, peut-il n'être pas corrompu en intérêt particulier ?

On voit à quel point, dans leur formulation même, ces questions s'articulent sur l'ensemble de la philosophie de Rousseau : elles sont, d'une certaine manière, l'expression du *requisit* que l'élaboration du système avait non pas tant laissé que dégagé. L'identité du moi, fondatrice pour Rousseau du statut de la personne, est peut-être l'objet même de l'*Émile*[2].

1. Rousseau insiste sur ce terme qui, pour lui, indique simultanément le caractère affirmatif du discours et l'origine de cette affirmation qui est le sentiment intérieur, producteur de croyance, et non pas la raison, productrice de connaissance.

2. Sur ces thèmes, voir les ouvrages de J. Starobinski et P. Burgelin.

La mort est ce qui est inassimilable, non tant comme terme mis à la vie que comme dissolution de l'identité[1]. Concevoir notre immortalité nous est possible, la connaître, non : elle ne peut être que l'objet de notre espoir. C'est le premier objet de la religion naturelle. Le « mal général » n'a jamais été un problème pour Rousseau[2], y répondre par l'ordre du monde lui a toujours paru satisfaisant. Du « mal particulier » dont l'homme souffre, il lui a toujours paru que l'homme était responsable. Du *Premier Discours* à l'*Émile*[3], la thèse est constante : c'est l'abus des facultés que l'homme développe dans l'état civil qui cause le « mal moral ». Les *Discours* et *Du Contrat social* se déploient sans difficulté majeure sur ces bases. Mais, s'il s'agit de rendre compte du mal que chaque homme accomplit, comment penser la bonté naturelle de sa nature ? Comment éviter d'introduire dans l'homme une contradiction ? Cette seconde question rebondit pour former la troisième : « Si la volonté générale est toujours bonne, comment peut-elle errer ? » demandait le *Contrat social.* La réponse y était logique : en n'étant plus générale, en étant divisée contre elle-même. La même question revient concernant la bonté naturelle : pourquoi l'amour de soi peut-il se dénaturer en intérêt particulier ? Comment maintenir l'aspiration à l'unité, qui anime toute la pensée de Rousseau, et rendre compte des contradictions de l'homme, sans tomber dans le dualisme ? Ces questions, la raison les conçoit comme nécessaires, mais il est hors de son pouvoir d'y répondre. Il nous importe pourtant au plus haut point de le faire, ce sera le rôle de la religion naturelle.

1. Quand Rousseau désire l'éternité, c'est à la survie du moi qu'il pense ; et la récompense du juste serait pour lui de pouvoir se souvenir des jours heureux. Le paradis serait peuplé d'innombrables rédacteurs des *Rêveries*.

2. Cf. *Lettre à Voltaire sur la providence*, OC IV, p. 1068.

3. Qui commence par rappeler : « Tout est bien sortant des mains de l'auteur des choses : tout dégénère dans les mains de l'homme. »

Ces questions, on vient de le voir, sont issues du cœur même de la pensée de Rousseau, et sa philosophie religieuse nous apparaît dès lors comme son *supplément nécessaire*. Il semble, pourtant, que ce soit sous l'effet d'un stimulant extérieur que les formulations dernières en ont été trouvées, et la pleine conscience acquise. Dans l'été 1758 était paru le *De l'esprit* d'Helvétius. Rousseau ne l'avait pas lu, lors de la première rédaction de la *Profession de foi*. Les annotations qui marquent son exemplaire, celles qu'il a portées sur son brouillon, montrent à quel point cette lecture a pesé sur la rédaction définitive[1]. À bien des égards, Helvétius offre à Rousseau, dans la lecture qu'il en fait, l'image inversée de ce qu'il cherchait : une théorie de la connaissance comme effet produit dans l'esprit, la réduction de l'intelligence à la sensibilité, l'affirmation du caractère factice du jugement moral et conventionnel des valeurs. Mais c'est sans doute moins en raison de ce qui les différenciait trop clairement qu'en raison de ce qui pouvait paraître les rapprocher que Rousseau est le plus attentif aux propos d'Helvétius[2].

L'amour de soi est sans aucun doute une notion centrale chez Rousseau. Non seulement il est la source de toute jouissance (il n'y en a d'autre, dit-il constamment, que le « contentement de soi »), mais il est à la fois principe vital (« veiller à sa propre conservation »), principe politique (aucune association ne peut naître sans conservation de la liberté de ses membres), principe moral (c'est le fondement de toute moralité). L'unité et la bonté essentielle de la nature de l'homme en dépendent ; Rousseau modulera, précisera ce principe, il ne reviendra jamais des-

1. Pierre-Maurice Masson, dans son édition critique, suit de très près ce processus ; nous l'avons mis en évidence dans notre annotation.

2. Helvétius est un de ceux, dans la « société de philosophes » au sein de laquelle il a vécu, pour qui Rousseau conçoit l'estime personnelle la plus complète. Son matérialisme ne l'en gêne que davantage.

sus. Dès le début du livre IV de l'*Émile*, il affirme : « L'amour de soi-même est toujours bon et toujours conforme à l'ordre. [...] Le premier sentiment d'un enfant est de s'aimer lui-même ; et le second, qui dérive du premier, est d'aimer ceux qui l'approchent ; car dans l'état de faiblesse où il est, il ne connaît personne que par l'assistance et les soins qu'il reçoit. » L'amour de Dieu lui-même provient de la reconnaissance conçue pour ses bienfaits. Dès le *Second Discours*[1], Rousseau avait tenu à distinguer l'amour de soi, élan de la nature bon en lui-même, de l'amour-propre, corruption de ce sentiment par l'opinion, qui nous fait nous représenter notre intérêt comme opposé à celui d'autrui. Il ne pouvait manquer cependant d'être inquiété par la longue dissertation d'Helvétius au premier discours de *De l'esprit* (chap. IV), qui entendait montrer qu'il n'y a d'autre fondement à la morale que l'intérêt particulier. « Sans intérêt personnel, ils [les hommes] ne se fussent point rassemblés en société, n'eussent point fait entre eux de conventions ; il n'y eut point eu d'intérêt général, par conséquent point d'actions justes ou injustes ; et ainsi la sensibilité physique et l'intérêt personnel ont été les auteurs de toute justice. »

Il s'attache donc soigneusement à opposer son principe à celui d'Helvétius. La longue lettre à M. d'Offreville, datée du 4 octobre 1761[2], montre comment il maintient sa thèse fondamentale, tout en introduisant une distinction décisive. « Votre adversaire soutient que tout homme n'agit, quoi qu'il fasse, que relativement à lui-même, et que jusqu'aux actes de vertu les plus sublimes, jusqu'aux œuvres de charité les plus pures, chacun rapporte tout à soi. [...] Je dois vous avouer que je suis de l'avis de votre adversaire. [...]

1. *Discours sur l'origine et les fondements de l'inégalité*, OC III, note XV, p. 219 ; GF, p. 212. Jean Starobinski, dans son édition au *Second Discours*, OC III, montre qu'il s'inscrit dans toute une tradition, en particulier représentée par Vauvenargues.

2. Rousseau est alors occupé aux dernières corrections de la *Profession de foi* ; cette lettre traduit donc bien son point d'arrivée.

Mais il faut expliquer ce mot d'intérêt. [...] Il y a un intérêt sensuel et palpable qui se rapporte uniquement à notre bien-être matériel. [...] Il y a un autre intérêt qui ne tient point aux avantages de la société, qui n'est relatif qu'à nous-mêmes, au bien de notre âme, à notre bien-être absolu, et que pour cela j'appelle intérêt spirituel ou moral. » La distinction entre intérêt sensuel et intérêt spirituel était nécessaire, mais était-elle suffisante ? On voit bien la difficulté ici : Rousseau peut-il éviter de tomber dans le dualisme ?

« *Nous ne sommes pas précisément doubles mais composés*[1]. »

Pourquoi Émile, parvenu à « l'âge de raison et des passions », a-t-il besoin du sentiment religieux ? Pourquoi Rousseau, développant une anthropologie de la personne, a-t-il besoin d'une religion naturelle ? Les deux questions se recouvrent.

La problématique du *Second Discours* pouvait se satisfaire d'une explication causale par les abus de la société civile : les passions, excessivement développées par la société, et l'éveil de la raison, que la socialisation stimule. L'anthropologie personnelle que requiert l'*Émile* devait trouver *dans l'homme* à la fois la source de cette possible dépravation et la garantie par laquelle s'en prémunir. Il fallait en trouver le principe. Comment rendre compte du mal que la *Profession de foi* « voit sur la terre » en évitant à la fois d'introduire une contradiction au sein de la nature de l'homme et dans l'ordre de la nature, œuvre de Dieu ?

Bien des commentateurs les plus clairvoyants de la *Profession de foi* ont souligné que là était son véritable enjeu : Rousseau s'y rallie-t-il à un certain dualisme[2] ?

1. Manuscrit Favre de l'*Émile*, OC IV, p. 57.

2. Pierre-Maurice Masson répondait de façon tranchée par l'affirmative, voyant là une rupture dans la pensée de Rousseau. Pierre Burgelin, dans son annotation de l'*Émile*, et P. Hoffmann,

Il faudrait d'abord parler non d'un, mais de plusieurs dualismes, ou plutôt de plusieurs couples irréductibles, qui charpentent le propos du vicaire : matière / pensée, matière / mouvement, esprit / corps, raison / passions, raison / sentiment intérieur, intérêt moral / intérêt matériel... Cette pluralité de tensions, Rousseau refuse de l'unifier, de la structurer comme une dualité de nature. On peut aller plus loin et affirmer qu'il pose ces couples et leur tension, pour chaque fois mieux montrer que c'est dans la religion naturelle et la « foi rationnelle » du vicaire qu'elles trouvent leur solution.

Soit donc l'opposition de la sensation, qui est passivité, par quoi les corps extérieurs et le mien produisent des effets sur mon esprit, et du mouvement volontaire par lequel mon esprit a des effets sur mon corps et, par lui, sur le monde. En affirmant hautement, contre Helvétius, l'irréductibilité de ces deux substances et l'impossibilité pour ma raison de concevoir leur unité, Rousseau se résout à un certain dualisme. Mais ce que je ne peux concevoir, je peux le sentir : c'est même là l'objet du sentiment intérieur, *l'unité de mon moi, comme existence.* En d'autres termes, c'est pour surmonter le dualisme sur lequel la raison bute, et auquel elle répugne, que Rousseau recourt à la foi de la religion naturelle. L'espoir de l'éternité est l'autre nom de ce désir d'unité.

Le vicaire reconnaît deux « principes distincts » dans la « nature » de l'homme : la raison, les passions. Il refuse de les réduire l'une à l'autre. Les passions sont primitives, même si elles sont exacerbées et dépravées par la corruption de l'état civil et les effets que l'opinion, ce cheval de Troie introduit par la société dans la conscience, produit sur la personne. La raison est cette capacité à établir des rapports qui est

---

dans un article plus récent (« L'âme et la liberté : quelques réflexions sur le dualisme dans la *Profession de foi du vicaire savoyard* », in *Annales Jean-Jacques Rousseau*, vol. XL, 1992), apportent des réponses plus nuancées.

développée en nous par la culture. Elle se dégrade en « raison raisonneuse ». La conscience ou instinct divin est précisément ce qui lui fournit son objet. Nous avons « la conscience pour aimer le bien, la raison pour le connaître, la liberté pour le choisir ». Éclairer notre volonté, guider notre raison, tel est exactement le rôle du sentiment intérieur. Les derniers mots du vicaire sont pour dire à son disciple de « se mettre en état » d'entendre cette voix. Éveiller en nous la voix de la conscience, en lui parlant à l'unisson, c'est le rôle de l'Évangile pour tous, du vicaire pour son disciple. Une fois encore, la *Profession de foi* exprime une contradiction pour mieux la lever.

L'homme seul porte la responsabilité du mal. C'est chez Rousseau une thèse de nature aussi bien théologique (la bonté de Dieu est l'expression de sa puissance) qu'anthropologique (ce sont les abus engendrés par la dégradation de l'état civil qui ont dépravé la nature de l'homme). L'argument pourrait conduire à concevoir une « double postulation » en l'homme, une contradiction de deux tendances. Rien de tel, tout au contraire : Rousseau ne décharge pas l'ordre divin pour charger la nature de l'homme. La liberté de la volonté, qui, elle, est de la nature de l'homme[1], est bonne en elle-même; c'est l'usage dépravé que les hommes en font qui est mauvais[2]. Il n'y a pas de « contradiction dans notre nature ». La religion naturelle est là pour nous empêcher de tomber dans une sorte de manichéisme.

Ne conviendrait-il pas, dès lors, d'inverser les termes dans lesquels on pose habituellement la question? Loin de constituer un glissement vers le dualisme, la *Profession de foi* exprimerait les contradictions

1. Qui même est cette nature.

2. Ici comme dans le *Contrat social*, livre I, chap. VIII, la notion d'abus est ce par quoi Rousseau évite le dualisme et l'opposition manichéenne : comme il n'y a pas deux mais trois états (de nature, civil et civil corrompu), il n'y a pas deux mais trois instances, la conscience, la raison et la raison raisonneuse; ou encore, la conscience, l'amour de soi et l'amour-propre.

dégagées par la démarche philosophique de Rousseau, depuis le *Premier Discours*, pour précisément dépasser le dualisme dans l'unité d'une complexité. La religion naturelle serait donc le moyen nécessaire à Rousseau pour rendre compte des contradictions de l'homme, de la personne humaine, sans tomber dans le dualisme anthropologique.

La *Profession de foi* est le *supplément* du système, ce qui vient, le confirmant, l'achever. La religion naturelle est, pour Rousseau, l'expression dernière de son anthropologie.

Bruno BERNARDI

PROFESSION DE FOI
DU
VICAIRE SAVOYARD

« Il y a trente ans que, dans une ville d'Italie, un jeune homme expatrié se voyait réduit à la dernière misère[1]. Il était né calviniste[2]; mais, par les suites d'une étourderie, se trouvant fugitif, en pays étranger, sans ressources, il changea de religion pour avoir du pain. Il y avait dans cette ville un hospice pour les prosélytes : il y fut admis. En l'instruisant sur la controverse, on lui donna des doutes qu'il n'avait pas, et on lui apprit le mal qu'il ignorait : il entendit des dogmes nouveaux, il vit des mœurs encore plus nouvelles; il les vit, et faillit en être la victime. Il voulut fuir, on l'enferma; il se plaignit, on le punit de ses plaintes : à la merci de ses tyrans, il se vit traiter en criminel pour n'avoir pas voulu céder au crime. Que ceux qui savent combien la première épreuve de la violence et de l'injustice irrite un jeune cœur sans expérience se figurent l'état du sien. Des larmes de rage coulaient de ses yeux, l'indignation l'étouffait : il implorait le ciel et les hommes, il se confiait à tout le monde, et n'était écouté de personne. Il ne voyait que de vils domestiques soumis à l'infâme qui l'outrageait, ou des complices du même crime qui se raillaient de sa résistance et l'excitaient à les imiter. Il était perdu sans un honnête ecclésiastique[3] qui vint à l'hospice pour quelque affaire, et qu'il trouva le moyen de consulter en secret. L'ecclésiastique était pauvre et avait besoin de tout le monde : mais l'opprimé avait encore plus besoin de lui; et il n'hésita pas à favoriser son évasion, au risque de se faire un dangereux ennemi.

« Échappé au vice pour rentrer dans l'indigence, le jeune homme luttait sans succès contre sa destinée : un moment il se crut au-dessus d'elle. À la première lueur de fortune ses maux et son protecteur furent oubliés. Il fut bientôt puni de cette ingratitude : toutes ses espérances s'évanouirent; sa jeunesse avait beau le favoriser, ses idées romanesques[4] gâtaient tout. N'ayant ni assez de talents, ni assez d'adresse pour se faire un chemin facile, ne sachant être ni modéré ni méchant, il prétendit à tant de choses qu'il ne sut parvenir à rien. Retombé dans sa première détresse, sans pain, sans asile, prêt à mourir de faim, il se ressouvint de son bienfaiteur.

« Il y retourne, il le trouve, il en est bien reçu : sa vue rappelle à l'ecclésiastique une bonne action qu'il avait faite; un tel souvenir réjouit toujours l'âme. Cet homme était naturellement humain, compatissant; il sentait les peines d'autrui par les siennes, et le bien-être n'avait point endurci son cœur; enfin les leçons de la sagesse et une vertu éclairée avaient affermi son bon naturel. Il accueille le jeune homme, lui cherche un gîte, l'y recommande; il partage avec lui son nécessaire, à peine suffisant pour deux. Il fait plus, il l'instruit, le console, il lui apprend l'art difficile de supporter patiemment l'adversité. Gens à préjugés, est-ce d'un prêtre, est-ce en Italie que vous eussiez espéré tout cela?

« Cet honnête ecclésiastique était un pauvre vicaire savoyard[5], qu'une aventure de jeunesse avait mis mal avec son évêque, et qui avait passé les monts pour chercher les ressources qui lui manquaient dans son pays. Il n'était ni sans esprit ni sans lettres; et avec une figure intéressante il avait trouvé des protecteurs qui le placèrent chez un ministre pour élever son fils. Il préférait la pauvreté à la dépendance, et il ignorait comment il faut se conduire chez les grands. Il ne resta pas longtemps chez celui-ci; en le quittant, il ne perdit point son estime, et comme il vivait sagement et se faisait aimer de tout le monde, il se flattait de rentrer en grâce auprès de son évêque, et d'en obtenir quelque petite cure dans les montagnes pour y passer le reste de ses jours. Tel était le dernier terme de son ambition.

« Un penchant naturel l'intéressait au jeune fugitif, et le lui fit examiner avec soin. Il vit que la mauvaise fortune avait déjà flétri son cœur, que l'opprobre et le mépris avaient abattu son courage, et que sa fierté, changée en dépit amer, ne lui montrait dans l'injustice et la dureté des hommes que le vice de leur nature et la chimère de la vertu. Il avait vu que la religion ne sert que de masque à l'intérêt, et le culte sacré de sauvegarde à l'hypocrisie; il avait vu, dans la subtilité des vaines disputes, le paradis et l'enfer mis pour prix à des jeux de mots; il avait vu la sublime et primitive idée de la Divinité défigurée par les fantasques imaginations des hommes; et, trouvant que pour croire en Dieu il fallait renoncer au jugement qu'on avait reçu de lui, il prit dans le même dédain nos ridicules rêveries et l'objet auquel nous les appliquons. Sans rien savoir de ce qui est, sans rien imaginer sur la génération des choses, il se plongea dans sa stupide ignorance avec un profond mépris pour tous ceux qui pensaient en savoir plus que lui.

« L'oubli de toute religion conduit à l'oubli des devoirs de l'homme. Ce progrès était déjà plus d'à moitié fait dans le cœur du libertin. Ce n'était pas pourtant un enfant mal né; mais l'incrédulité, la misère, étouffant peu à peu le naturel, l'entraînaient rapidement à sa perte, et ne lui préparaient que les mœurs d'un gueux et la morale d'un athée[6].

« Le mal, presque inévitable, n'était pas absolument consommé. Le jeune homme avait des connaissances, et son éducation n'avait pas été négligée. Il était dans cet âge heureux où le sang en fermentation commence d'échauffer l'âme sans l'asservir aux fureurs des sens. La sienne avait encore tout son ressort. Une honte native, un caractère timide suppléaient à la gêne et prolongeaient pour lui cette époque dans laquelle vous maintenez votre élève avec tant de soins[7]. L'exemple odieux d'une dépravation brutale et d'un vice sans charme, loin d'animer son imagination, l'avait amortie. Longtemps le dégoût lui tint lieu de vertu pour conserver son innocence; elle ne devait succomber qu'à de plus douces séductions.

« L'ecclésiastique vit le danger et les ressources. Les difficultés ne le rebutèrent point : il se complaisait dans son ouvrage; il résolut de l'achever, et de rendre à la vertu la victime qu'il avait arrachée à l'infamie. Il s'y prit de loin pour exécuter son projet : la beauté du motif animait son courage et lui inspirait des moyens dignes de son zèle. Quel que fût le succès, il était sûr de n'avoir pas perdu son temps. On réussit toujours quand on ne veut que bien faire.

« Il commença par gagner la confiance du prosélyte en ne lui vendant point ses bienfaits, en ne se rendant point importun, en ne lui faisant point de sermons, en se mettant toujours à sa portée, en se faisant petit pour s'égaler à lui. C'était, ce me semble, un spectacle assez touchant de voir un homme grave devenir le camarade d'un polisson, et la vertu se prêter au ton de la licence pour en triompher plus sûrement. Quand l'étourdi venait lui faire ses folles confidences, et s'épancher avec lui, le prêtre l'écoutait, le mettait à son aise; sans approuver le mal il s'intéressait à tout :

jamais une indiscrète censure ne venait arrêter son babil et resserrer son cœur; le plaisir avec lequel il se croyait écouté augmentait celui qu'il prenait à tout dire. Ainsi se fit sa confession générale sans qu'il songeât à rien confesser[8].

« Après avoir bien étudié ses sentiments et son caractère, le prêtre vit clairement que, sans être ignorant pour son âge, il avait oublié tout ce qu'il lui importait de savoir, et que l'opprobre où l'avait réduit la fortune étouffait en lui tout vrai sentiment du bien et du mal. Il est un degré d'abrutissement qui ôte la vie à l'âme; et la voix intérieure ne sait point se faire entendre à celui qui ne songe qu'à se nourrir[9]. Pour garantir le jeune infortuné de cette mort morale dont il était si près, il commença par réveiller en lui l'amour-propre et l'estime de soi-même : il lui montrait un avenir plus heureux dans le bon emploi de ses talents; il ranimait dans son cœur une ardeur généreuse par le récit des belles actions d'autrui; en lui faisant admirer ceux qui les avaient faites, il lui rendait le désir d'en faire de semblables. Pour le détacher insensiblement de sa vie oisive et vagabonde, il lui faisait faire des extraits de livres choisis[10], et, feignant d'avoir besoin de ces extraits, il nourrissait en lui le noble sentiment de la reconnaissance. Il l'instruisait directement par ces livres; il lui faisait reprendre assez bonne opinion de lui-même pour ne pas se croire un être inutile à tout bien, et pour ne vouloir plus se rendre méprisable à ses propres yeux.

« Une bagatelle fera juger de l'art qu'employait cet homme bienfaisant pour élever insensiblement le cœur de son disciple au-dessus de la bassesse, sans paraître songer à son instruction. L'ecclésiastique avait une probité si bien reconnue et un discernement si sûr, que plusieurs personnes aimaient mieux faire passer leurs aumônes par ses mains que par celles des riches curés des villes. Un jour qu'on lui avait donné quelque argent à distribuer aux pauvres, le jeune homme eut, à ce titre, la lâcheté de lui en demander. Non, dit-il, nous sommes frères, vous m'appartenez, et je ne dois pas toucher à ce dépôt pour mon usage. Ensuite il lui donna de son propre argent autant qu'il en avait demandé. Des leçons de cette espèce sont rarement perdues dans le cœur des jeunes gens qui ne sont pas tout à fait corrompus.

« Je me lasse de parler en tierce personne[11], et c'est un soin fort superflu; car vous sentez bien, cher concitoyen, que ce malheureux fugitif, c'est moi-même : je me crois assez loin des désordres de ma jeunesse pour oser les avouer, et la main qui m'en tira mérite bien qu'aux dépens d'un peu de honte je rende au moins quelque honneur à ses bienfaits.

« Ce qui me frappait le plus était de voir, dans la vie privée de mon digne maître, la vertu sans hypocrisie, l'humanité sans faiblesse, des discours toujours droits et simples, et une conduite toujours conforme à ces discours. Je ne le voyais point s'inquiéter si ceux qu'il aidait allaient à vêpres, s'ils se confessaient souvent, s'ils jeûnaient les jours prescrits, s'ils faisaient maigre, ni leur imposer d'autres conditions semblables, sans lesquelles, dût-on mourir de misère, on n'a nulle assistance à espérer des dévots.

« Encouragé par ses observations, loin d'étaler moi-même à ses yeux le zèle affecté d'un nouveau converti, je ne lui cachais point trop mes manières de penser, et ne l'en voyais pas plus scandalisé. Quelquefois j'aurais pu me dire : il me passe mon indifférence pour le culte que j'ai embrassé en faveur de celle qu'il me voit aussi pour le culte dans lequel je suis né ; il sait que mon dédain n'est plus une affaire de parti. Mais que devais-je penser quand je l'entendais quelquefois approuver des dogmes contraires à ceux de l'Église romaine, et paraître estimer médiocrement toutes ses cérémonies ? Je l'aurais cru protestant déguisé si je l'avais vu moins fidèle à ces mêmes usages dont il semblait faire assez peu de cas ; mais, sachant qu'il s'acquittait sans témoin de ses devoirs de prêtre aussi ponctuellement que sous les yeux du public, je ne savais plus que juger de ces contradictions. Au défaut près qui jadis avait attiré sa disgrâce et dont il n'était pas trop bien corrigé, sa vie était exemplaire, ses mœurs étaient irréprochables, ses discours honnêtes et judicieux. En vivant avec lui dans la plus grande intimité, j'apprenais à le respecter chaque jour davantage ; et tant de bontés m'ayant tout à fait gagné le cœur, j'attendais avec une curieuse inquiétude le moment d'apprendre sur quel principe il fondait l'uniformité d'une vie aussi singulière[12].

« Ce moment ne vint pas sitôt. Avant de s'ouvrir à son disciple, il s'efforça de faire germer les semences de raison et de bonté qu'il jetait dans son âme. Ce qu'il y avait en moi de plus difficile à détruire était une orgueilleuse misanthropie, une certaine aigreur contre les riches et les heureux du monde, comme s'ils l'eussent été à mes dépens, et que leur prétendu bonheur eût été usurpé sur le mien. La folle vanité de la jeunesse, qui regimbe contre l'humiliation, ne me donnait que trop de penchant à cette humeur colère, et l'amour-propre, que mon mentor tâchait de réveiller en moi, me portant à la fierté, rendait les hommes encore plus vils à mes yeux, et ne faisait qu'ajouter pour eux le mépris à la haine[13].

« Sans combattre directement cet orgueil, il l'empêcha de

se tourner en dureté d'âme; et sans m'ôter l'estime de moi-même, il la rendit moins dédaigneuse pour mon prochain. En écartant toujours la vaine apparence et me montrant les maux réels qu'elle couvre, il m'apprenait à déplorer les erreurs de mes semblables, à m'attendrir sur leurs misères, et à les plaindre plus qu'à les envier. Ému de compassion sur les faiblesses humaines par le profond sentiment des siennes, il voyait partout des hommes victimes de leurs propres vices et de ceux d'autrui; il voyait les pauvres gémir sous le joug des riches, et les riches sous le joug des préjugés. Croyez-moi, disait-il, nos illusions, loin de nous cacher nos maux, les augmentent, en donnant un prix à ce qui n'en a point, et nous rendant sensibles à mille fausses privations que nous ne sentirions pas sans elles. La paix de l'âme consiste dans le mépris de tout ce qui peut la troubler : l'homme qui fait le plus cas de la vie est celui qui sait le moins en jouir et celui qui aspire le plus avidement au bonheur est toujours le plus misérable.

« Ah! quels tristes tableaux! m'écriais-je avec amertume : s'il faut se refuser à tout, que nous a donc servi de naître? et s'il faut mépriser le bonheur même, qui est-ce qui sait être heureux? C'est moi, répondit un jour le prêtre d'un ton dont je fus frappé. Heureux, vous! si peu fortuné, si pauvre, exilé, persécuté, vous êtes heureux! Et qu'avez-vous fait pour l'être? Mon enfant, reprit-il, je vous le dirai volontiers.

« Là-dessus il me fit entendre qu'après avoir reçu mes confessions il voulait me faire les siennes. J'épancherai dans votre sein, me dit-il en m'embrassant, tous les sentiments de mon cœur. Vous me verrez, sinon tel que je suis, au moins tel que je me vois moi-même. Quand vous aurez reçu mon entière profession de foi, quand vous connaîtrez bien l'état de mon âme, vous saurez pourquoi je m'estime heureux, et, si vous pensez comme moi, ce que vous avez à faire pour l'être. Mais ces aveux ne sont pas l'affaire d'un moment; il faut du temps pour vous exposer tout ce que je pense sur le sort de l'homme et sur le vrai prix de la vie : prenons une heure, un lieu commode pour nous livrer paisiblement à cet entretien.

« Je marquai de l'empressement à l'entendre. Le rendez-vous ne fut pas renvoyé plus tard qu'au lendemain matin. On était en été, nous nous levâmes à la pointe du jour. Il me mena hors de la ville, sur une haute colline, au-dessous de laquelle passait le Pô, dont on voyait le cours à travers les fertiles rives qu'il baigne; dans l'éloignement, l'immense chaîne des Alpes couronnait le paysage; les rayons du soleil levant rasaient déjà les plaines, et projetant sur les champs par longues ombres les arbres, les coteaux, les maisons, enrichissaient de mille accidents de lumière le plus beau tableau dont l'œil humain puisse être frappé. On eût dit que la nature étalait à nos yeux toute sa magnificence pour en offrir le texte à nos entretiens. Ce fut là qu'après avoir quelque temps contemplé ces objets en silence, l'homme de paix me parla ainsi[14] : »

PROFESSION DE FOI DU VICAIRE SAVOYARD

Mon enfant, n'attendez de moi ni des discours savants ni de profonds raisonnements. Je ne suis pas un grand philosophe, et je me soucie peu de l'être. Mais j'ai quelquefois du bon sens, et j'aime toujours la vérité. Je ne veux pas argumenter avec vous, ni même tenter de vous convaincre ; il me suffit de vous exposer ce que je pense dans la simplicité de mon cœur. Consultez le vôtre durant mon discours ; c'est tout ce que je vous demande. Si je me trompe, c'est de bonne foi ; cela suffit pour que mon erreur ne me soit point imputée à crime : quand vous vous tromperiez de même, il y aurait peu de mal à cela. Si je pense bien, la raison nous est commune, et nous avons le même intérêt à l'écouter ; pourquoi ne penseriez-vous pas comme moi[15] ?

Je suis né pauvre et paysan, destiné par mon état à cultiver la terre ; mais on crut plus beau que j'apprisse à gagner mon pain dans le métier de prêtre, et l'on trouva le moyen de me faire étudier. Assurément ni mes parents ni moi ne songions guère à chercher en cela ce qui était bon, véritable, utile, mais ce qu'il fallait savoir pour être ordonné. J'appris ce qu'on voulait que j'apprisse, je dis ce qu'on voulait que je disse, je m'engageai comme on voulut, et je fus fait prêtre. Mais je ne tardai pas à sentir qu'en m'obligeant de n'être pas homme j'avais promis plus que je ne pouvais tenir[16].

On nous dit que la conscience est l'ouvrage des préjugés; cependant, je sais par mon expérience qu'elle s'obstine à suivre l'ordre de la nature contre toutes les lois des hommes. On a beau nous défendre ceci ou cela, le remords nous reproche toujours faiblement ce que nous permet la nature bien ordonnée, à plus forte raison ce qu'elle nous prescrit. Ô bon jeune homme, elle n'a rien dit encore à vos sens : vivez longtemps dans l'état heureux où sa voix est celle de l'innocence. Souvenez-vous qu'on l'offense encore plus quand on la prévient que quand on la combat; il faut commencer par apprendre à résister pour savoir quand on peut céder sans crime.

Dès ma jeunesse j'ai respecté le mariage comme la première et la plus sainte institution de la nature. M'étant ôté le droit de m'y soumettre, je résolus de ne le point profaner; car, malgré mes classes et mes études, ayant toujours mené une vie uniforme et simple, j'avais conservé dans mon esprit toute la clarté des lumières primitives : les maximes du monde ne les avaient point obscurcies, et ma pauvreté m'éloignait des tentations qui dictent les sophismes du vice.

Cette résolution fut précisément ce qui me perdit; mon respect pour le lit d'autrui laissa mes fautes à découvert. Il fallut expier le scandale : arrêté, interdit, chassé, je fus bien plus la victime de mes scrupules que de mon incontinence; et j'eus lieu de comprendre, aux reproches dont ma disgrâce fut accompagnée, qu'il ne faut souvent qu'aggraver la faute pour échapper au châtiment.

Peu d'expériences pareilles mènent loin un esprit qui réfléchit. Voyant par de tristes observations renverser les idées que j'avais du juste, de l'honnête, et de tous les devoirs de l'homme, je perdais chaque jour quelqu'une des opinions que j'avais reçues; celles qui me restaient ne suffisant plus pour faire ensemble un corps qui pût se soutenir par lui-même, je sentis peu à peu s'obscurcir dans mon esprit l'évidence des principes, et, réduit enfin à ne savoir plus que penser, je parvins au même point où vous êtes; avec cette différence que mon incrédulité, fruit tardif d'un âge plus mûr, s'était formée avec plus de peine, et devait être plus difficile à détruire.

J'étais dans ces dispositions d'incertitude et de doute que Descartes exige pour la recherche de la vérité. Cet état est peu fait pour durer, il est inquiétant et pénible; il n'y a que l'intérêt du vice ou la paresse de l'âme qui nous y laisse. Je n'avais point le cœur assez corrompu pour m'y plaire; et rien ne conserve mieux l'habitude de réfléchir que d'être plus content de soi que de sa fortune[17].

Je méditais donc sur le triste sort des mortels flottant sur cette mer des opinions humaines, sans gouvernail, sans boussole, et livrés à leurs passions orageuses, sans autre guide qu'un pilote inexpérimenté qui méconnaît sa route, et qui ne sait ni d'où il vient ni où il va. Je me disais : j'aime la vérité, je la cherche, et ne puis la reconnaître; qu'on me la montre et j'y demeure attaché : pourquoi faut-il qu'elle se dérobe à l'empressement d'un cœur fait pour l'adorer?

Quoique j'aie souvent éprouvé de plus grands maux, je n'ai jamais mené une vie aussi constamment désagréable que dans ces temps de trouble et d'anxiété où, sans cesse errant de doute en doute, je ne rapportais de mes longues méditations qu'incertitude, obscurité, contradictions sur la cause de mon être et sur la règle de mes devoirs.

Comment peut-on être sceptique par système et de bonne foi? Je ne saurais le comprendre. Ces philosophes, ou n'existent pas, ou sont les plus malheureux des hommes. Le doute sur les choses qu'il nous importe de connaître est un état trop violent pour l'esprit humain : il n'y résiste pas longtemps; il se décide malgré lui de manière ou d'autre, et il aime mieux se tromper que ne rien croire.

Ce qui redoublait mon embarras était qu'étant né dans une Église qui décide tout, qui ne permet aucun doute, un seul point rejeté me faisait rejeter tout le reste, et que l'impossibilité d'admettre tant de décisions absurdes me détachait aussi de celles qui ne l'étaient pas. En me disant : Croyez tout, on m'empêchait de rien croire, et je ne savais plus où m'arrêter.

Je consultai les philosophes, je feuilletai leurs livres, j'examinai leurs diverses opinions; je les trouvai tous fiers, affirmatifs, dogmatiques, même dans leur scepticisme prétendu, n'ignorant rien, ne prouvant rien, se moquant les uns des autres; et ce point commun à tous me parut le seul sur lequel ils ont tous raison. Triomphants quand ils attaquent, ils sont sans vigueur en se défendant. Si vous pesez les raisons, ils n'en ont que pour détruire; si vous comptez les voix, chacun est réduit à la sienne; ils ne s'accordent que pour disputer; les écouter n'était pas le moyen de sortir de mon incertitude.

Je conçus que l'insuffisance de l'esprit humain est la première cause de cette prodigieuse diversité de sentiments, et que l'orgueil est la seconde[18]. Nous n'avons point la mesure de cette machine immense, nous n'en pouvons calculer les rapports; nous n'en connaissons ni les premières lois ni la cause finale; nous nous ignorons nous-mêmes; nous ne connaissons ni notre nature ni notre principe actif; à peine savons-nous si l'homme est un être simple ou composé : des mystères impénétrables nous environnent de toutes parts; ils sont au-dessus de la région sensible; pour les percer nous croyons avoir de l'intelligence, et nous n'avons que de l'imagination. Chacun se fraye, à travers ce monde imaginaire, une route qu'il croit la bonne; nul ne peut savoir si la sienne mène au but. Cependant nous voulons tout pénétrer, tout connaître. La seule chose que nous ne savons point est d'ignorer ce que nous ne pouvons savoir. Nous aimons mieux nous déterminer au hasard, et croire ce qui n'est pas, que d'avouer qu'aucun de nous ne peut voir ce qui est. Petite partie d'un grand tout dont les bornes nous échappent, et que son auteur livre à nos folles disputes, nous sommes assez vains pour vouloir décider ce qu'est ce tout en lui-même, et ce que nous sommes par rapport à lui.

Quand les philosophes seraient en état de découvrir la vérité, qui d'entre eux prendrait intérêt à elle? Chacun sait bien que son système n'est pas mieux fondé que les autres; mais il le soutient parce qu'il est à lui. Il n'y en a pas un seul qui, venant à connaître le vrai et le faux, ne préférât le mensonge qu'il a trouvé à la vérité découverte par un autre. Où est le philosophe qui, pour sa gloire, ne tromperait pas volontiers le genre humain? Où est celui qui, dans le secret de son cœur, se propose un autre objet que de se distinguer? Pourvu qu'il s'élève au-dessus du vulgaire, pourvu qu'il efface l'éclat de ses concurrents, que demande-t-il de plus? L'essentiel est de penser autrement que les autres. Chez les croyants il est athée, chez les athées il serait croyant.

Le premier fruit que je tirai de ces réflexions fut d'apprendre à borner mes recherches à ce qui m'intéressait immédiatement, à me reposer dans une profonde ignorance sur tout le reste, et à ne m'inquiéter, jusqu'au doute, que des choses qu'il m'importait de savoir.

Je compris encore que, loin de me délivrer de mes doutes inutiles, les philosophes ne feraient que multiplier ceux qui me tourmentaient et n'en résoudraient aucun. Je pris donc un autre guide et je me dis : consultons la lumière intérieure[19], elle m'égarera moins qu'ils ne m'égarent, ou, du moins mon erreur sera la mienne, et je me dépraverai moins en suivant mes propres illusions qu'en me livrant à leurs mensonges.

Alors, repassant dans mon esprit les diverses opinions qui m'avaient tour à tour entraîné depuis ma naissance, je vis que, bien qu'aucune d'elles ne fût assez évidente pour produire immédiatement la conviction, elles avaient divers degrés de vraisemblance, et que l'assentiment intérieur s'y prêtait ou s'y refusait à différentes mesures. Sur cette première observation, comparant entre elles toutes ces différentes idées dans le silence des préjugés, je trouvai que la première et la plus commune était aussi la plus simple et la plus raisonnable, et qu'il ne lui manquait, pour réunir tous les suffrages, que d'avoir été proposée la dernière. Imaginez tous vos philosophes anciens et modernes ayant d'abord épuisé leurs bizarres systèmes de force, de chances, de fatalité, de nécessité, d'atomes, de monde animé, de matière vivante, de matérialisme de toute espèce, et après eux tous, l'illustre Clarke[20] éclairant le monde, annonçant enfin l'Être des êtres et le dispensateur des choses : avec quelle universelle admiration, avec quel applaudissement unanime n'eût point été reçu ce nouveau système, si grand, si consolant, si sublime, si propre à élever l'âme, à donner une base à la vertu, et en même temps si frappant, si lumineux, si simple, et, ce me semble, offrant moins de choses incompréhensibles à l'esprit humain qu'il n'en trouve d'absurdes en tout autre système ! Je me disais : Les objections insolubles sont communes à tous, parce que l'esprit de l'homme est trop borné pour les résoudre ; elles ne prouvent donc contre aucun par préférence : mais quelle différence entre les preuves directes ! Celui-là seul qui explique tout ne doit-il pas être préféré quand il n'a pas plus de difficulté que les autres ?

Portant donc en moi l'amour de la vérité pour toute philosophie, et pour toute méthode une règle facile et simple qui me dispense de la vaine subtilité des arguments, je reprends sur cette règle l'examen des connaissances qui m'intéressent, résolu d'admettre pour évidentes toutes celles auxquelles, dans la sincérité de mon cœur, je ne pourrai refuser mon consentement, pour vraies toutes celles qui me paraîtront avoir une liaison nécessaire avec ces premières, et de laisser toutes les autres dans l'incertitude, sans les rejeter ni les admettre, et sans me tourmenter à les éclaircir quand elles ne mènent à rien d'utile pour la pratique[21].

Mais qui suis-je ? Quel droit ai-je de juger les choses ? et qu'est-ce qui détermine mes jugements ? S'ils sont entraînés, forcés par les impressions que je reçois, je me fatigue en vain à ces recherches, elles ne se feront point, ou se feront d'elles-mêmes sans que je me mêle de les diriger. Il faut donc tourner d'abord mes regards sur moi pour connaître l'instrument dont je veux me servir, et jusqu'à quel point je puis me fier à son usage[22].

J'existe, et j'ai des sens par lesquels je suis affecté. Voilà la première vérité qui me frappe et à laquelle je suis forcé d'acquiescer. Ai-je un sentiment propre de mon existence, ou ne la sens-je que par mes sensations ? Voilà mon premier doute, qu'il m'est, quant à présent, impossible de résoudre. Car, étant continuellement affecté de sensations, ou immédiatement, ou par la mémoire, comment puis-je savoir si le sentiment du *moi* est quelque chose hors de ces mêmes sensations, et s'il peut être indépendant d'elles [23] ?

Mes sensations se passent en moi, puisqu'elles me font sentir mon existence; mais leur cause m'est étrangère, puisqu'elles m'affectent malgré que j'en aie, et qu'il ne dépend de moi ni de les produire ni de les anéantir. Je conçois donc clairement que ma sensation qui est en moi, et sa cause ou son objet qui est hors de moi, ne sont pas la même chose.

Ainsi, non seulement j'existe, mais il existe d'autres êtres, savoir, les objets de mes sensations; et quand ces objets ne seraient que des idées, toujours est-il vrai que ces idées ne sont pas moi [24].

Or, tout ce que je sens hors de moi et qui agit sur mes sens, je l'appelle matière; et toutes les portions de matière que je conçois réunies en êtres individuels, je les appelle des corps. Ainsi toutes les disputes des idéalistes et des matérialistes ne signifient rien pour moi : leurs distinctions sur l'apparence et la réalité des corps sont des chimères.

Me voici déjà tout aussi sûr de l'existence de l'univers que de la mienne. Ensuite je réfléchis sur les objets de mes sensations; et, trouvant en moi la faculté de les comparer, je me sens doué d'une force active que je ne savais pas avoir auparavant [25].

Apercevoir, c'est sentir; comparer, c'est juger : juger et sentir ne sont pas la même chose [26]. Par la sensation, les objets s'offrent à moi séparés, isolés, tels qu'ils sont dans la nature; par la comparaison, je les remue, je les transporte pour ainsi dire, je les pose l'un sur l'autre pour prononcer sur leur différence ou sur leur similitude, et généralement sur tous leurs rapports. Selon moi la faculté distinctive de l'être actif ou intelligent est de pouvoir donner un sens à ce mot *est*[27]. Je cherche en vain dans l'être purement sensitif cette force intelligente qui superpose et puis qui prononce; je ne la saurais voir dans sa nature. Cet être passif sentira chaque objet séparément, ou même il sentira l'objet total formé des deux; mais, n'ayant aucune force pour les replier l'un sur l'autre, il ne les comparera jamais; il ne les jugera point.

Voir deux objets à la fois, ce n'est pas voir leurs rapports ni juger de leurs différences; apercevoir plusieurs objets les uns hors des autres n'est pas les nombrer. Je puis avoir au même instant l'idée d'un grand bâton et d'un petit bâton sans les comparer, sans juger que l'un est plus petit que l'autre, comme je puis voir à la fois ma main entière sans faire le compte de mes doigts*. Ces idées comparatives, *plus grand, plus petit*, de même que les idées numériques d'*un*, de *deux*, etc., ne sont certainement pas des sensations, quoique mon esprit ne les produise qu'à l'occasion de mes sensations[28].

On nous dit que l'être sensitif distingue les sensations les unes des autres par les différences qu'ont entre elles ces mêmes sensations : ceci demande explication[29]. Quand les sensations sont différentes, l'être sensitif les distingue par leurs différences : quand elles sont semblables, il les distingue parce qu'il sent les unes hors des autres. Autrement, comment dans une sensation simultanée distinguerait-il deux objets égaux? Il faudrait nécessairement qu'il confondît ces deux objets et les prît pour le même, surtout dans un système où l'on prétend que les sensations représentatives de l'étendue ne sont point étendues.

Quand les deux sensations à comparer sont aperçues, leur impression est faite, chaque objet est senti,

* Les relations de M. de La Condamine nous parlent d'un peuple qui ne savait compter que jusqu'à trois. Cependant les hommes qui composaient ce peuple, ayant des mains, avaient souvent aperçu leurs doigts sans savoir compter jusqu'à cinq.

les deux sont sentis, mais leur rapport n'est pas senti pour cela. Si le jugement de ce rapport n'était qu'une sensation, et me venait uniquement de l'objet, mes jugements ne me tromperaient jamais, puisqu'il n'est jamais faux que je sente ce que je sens.

Pourquoi donc est-ce que je me trompe sur le rapport de ces deux bâtons, surtout s'ils ne sont pas parallèles ? Pourquoi dis-je, par exemple, que le petit bâton est le tiers du grand, tandis qu'il n'en est que le quart ? Pourquoi l'image, qui est la sensation, n'est-elle pas conforme à son modèle, qui est l'objet ? C'est que je suis actif quand je juge, que l'opération qui compare est fautive, et que mon entendement, qui juge les rapports, mêle ses erreurs à la vérité des sensations, qui ne montrent que les objets.

Ajoutez à cela une réflexion qui vous frappera, je m'assure, quand vous y aurez pensé ; c'est que, si nous étions purement passifs dans l'usage de nos sens, il n'y aurait entre eux aucune communication ; il nous serait impossible de connaître que le corps que nous touchons et l'objet que nous voyons sont le même. Ou nous ne sentirions jamais rien hors de nous, ou il y aurait pour nous cinq substances sensibles, dont nous n'aurions nul moyen d'apercevoir l'identité.

Qu'on donne tel ou tel nom à cette force de mon esprit qui rapproche et compare mes sensations ; qu'on l'appelle attention, méditation, réflexion, ou comme on voudra[30], toujours est-il vrai qu'elle est en moi et non dans les choses, que c'est moi seul qui la produis, quoique je ne la produise qu'à l'occasion de l'impression que font sur moi les objets. Sans être maître de sentir ou de ne pas sentir, je le suis d'examiner plus ou moins ce que je sens.

Je ne suis donc pas simplement un être sensitif et passif, mais un être actif et intelligent, et, quoi qu'en dise la philosophie, j'oserai prétendre à l'honneur de penser. Je sais seulement que la vérité est dans les choses et non pas dans mon esprit qui les juge, et que moins je mets du mien dans les jugements que j'en porte, plus je suis sûr d'approcher de la vérité : ainsi ma règle de me livrer au sentiment plus qu'à la raison est confirmée par la raison même[31].

M'étant, pour ainsi dire, assuré de moi-même, je commence à regarder hors de moi, et je me considère avec une sorte de frémissement, jeté, perdu dans ce vaste univers, et comme noyé dans l'immensité des êtres, sans rien savoir de ce qu'ils sont, ni entre eux, ni par rapport à moi. Je les étudie, je les observe; et le premier objet qui se présente à moi pour les comparer, c'est moi-même.

Tout ce que j'aperçois par les sens est matière, et je déduis toutes les propriétés essentielles de la matière des qualités sensibles qui me la font apercevoir, et qui en sont inséparables[32]. Je la vois tantôt en mouvement et tantôt en repos*, d'où j'infère que ni le repos ni le mouvement ne lui sont essentiels; mais le mouvement, étant une action, est l'effet d'une cause dont le repos n'est que l'absence. Quand donc rien n'agit sur la matière, elle ne se meut point, et, par cela même qu'elle est indifférente au repos et au mouvement, son état naturel est d'être en repos[33].

J'aperçois dans les corps deux sortes de mouvements, savoir, mouvement communiqué, et mouvement spontané ou volontaire. Dans le premier, la cause motrice est étrangère au corps mû, et dans le second elle est en lui-même. Je ne conclurai pas de là que le mouvement d'une montre, par exemple, est spontané; car si rien d'étranger au ressort n'agissait sur lui, il ne tendrait point à se redresser, et ne tirerait pas la chaîne. Par la même raison, je n'accorderai

* Ce repos n'est, si l'on veut, que relatif; mais puisque nous observons du plus ou du moins dans le mouvement, nous concevons très clairement un des deux termes extrêmes, qui est le repos, et nous le concevons si bien que nous sommes enclins même à prendre pour absolu le repos qui n'est que relatif. Or il n'est pas vrai que le mouvement soit de l'essence de la matière, si elle peut être conçue en repos.

point non plus la spontanéité aux fluides, ni au feu[34] même qui fait leur fluidité*.

Vous me demanderez si les mouvements des animaux sont spontanés; je vous dirai que je n'en sais rien, mais que l'analogie est pour l'affirmative. Vous me demanderez encore comment je sais donc qu'il y a des mouvements spontanés; je vous dirai que je le sais parce que je le sens[35]. Je veux mouvoir mon bras et je le meus, sans que ce mouvement ait d'autre cause immédiate que ma volonté. C'est en vain qu'on voudrait raisonner pour détruire en moi ce sentiment, il est plus fort que toute évidence; autant vaudrait me prouver que je n'existe pas.

S'il n'y avait aucune spontanéité dans les actions des hommes, ni dans rien de ce qui se fait sur la terre, on n'en serait que plus embarrassé à imaginer la première cause de tout mouvement. Pour moi, je me sens tellement persuadé que l'état naturel de la matière est d'être en repos, et qu'elle n'a par elle-même aucune force pour agir, qu'en voyant un corps en mouvement je juge aussitôt, ou que c'est un corps animé, ou que ce mouvement lui a été communiqué. Mon esprit refuse tout acquiescement à l'idée de la matière non organisée se mouvant d'elle-même, ou produisant quelque action[36].

Cependant cet univers visible est matière, matière éparse et morte**, qui n'a rien dans son tout de l'union, de l'organisation, du sentiment commun des parties d'un corps animé, puisqu'il est certain que nous qui sommes parties ne nous sentons nullement dans le tout. Ce même univers est en mouvement, et

* Les chimistes regardent le phlogistique ou l'élément du feu comme épars, immobile, et stagnant dans les mixtes dont il fait partie, jusqu'à ce que des causes étrangères le dégagent, le réunissent, le mettent en mouvement, et le changent en feu.

** J'ai fait tous mes efforts pour concevoir une molécule vivante, sans pouvoir en venir à bout. L'idée de la matière sentant sans avoir des sens me paraît inintelligible et contradictoire. Pour adopter ou rejeter cette idée, il faudrait commencer par la comprendre, et j'avoue que je n'ai pas ce bonheur-là.

dans ses mouvements réglés, uniformes, assujettis à des lois constantes, il n'a rien de cette liberté qui paraît dans les mouvements spontanés de l'homme et des animaux. Le monde n'est donc pas un grand animal qui se meuve de lui-même; il y a donc de ses mouvements quelque cause étrangère à lui, laquelle je n'aperçois pas; mais la persuasion intérieure me rend cette cause tellement sensible, que je ne puis voir rouler le soleil sans imaginer une force qui le pousse, ou que, si la terre tourne, je crois sentir une main qui la fait tourner[37].

S'il faut admettre des lois générales dont je n'aperçois point les rapports essentiels avec la matière, de quoi serai-je avancé? Ces lois, n'étant point des êtres réels, des substances, ont donc quelque autre fondement qui m'est inconnu. L'expérience et l'observation nous ont fait connaître les lois du mouvement; ces lois déterminent les effets sans montrer les causes; elles ne suffisent point pour expliquer le système du monde et la marche de l'univers. Descartes avec des dés formait le ciel et la terre; mais il ne put donner le premier branle à ces dés, ni mettre en jeu sa force centrifuge qu'à l'aide d'un mouvement de rotation. Newton a trouvé la loi de l'attraction; mais l'attraction seule réduirait bientôt l'univers en une masse immobile : à cette loi il a fallu joindre une force projectile pour faire décrire des courbes aux corps célestes. Que Descartes nous dise quelle loi physique a fait tourner ses tourbillons; que Newton nous montre la main qui lança les planètes sur la tangente de leurs orbites[38].

Les premières causes du mouvement ne sont point dans la matière; elle reçoit le mouvement et le communique, mais elle ne le produit pas. Plus j'observe l'action et réaction des forces de la nature agissant les unes sur les autres, plus je trouve que, d'effets en effets, il faut toujours remonter à quelque volonté pour première cause; car supposer un progrès de cause à l'infini, c'est n'en point supposer du tout. En un mot, tout mouvement qui n'est pas produit par un autre ne peut venir que d'un acte spontané, volontaire; les corps inanimés n'agissent que par le mouvement, et il n'y a point de véritable action sans volonté. Voilà mon premier principe. Je crois donc qu'une volonté meut l'univers et anime la nature. Voilà mon premier dogme, ou mon premier article de foi[39].

Comment une volonté produit-elle une action physique et corporelle? Je n'en sais rien, mais j'éprouve en moi qu'elle la produit. Je veux agir, et j'agis; je veux mouvoir mon corps, et mon corps se meut; mais qu'un corps inanimé et en repos vienne à se mouvoir de lui-même ou produise le mouvement, cela est incompréhensible et sans exemple. La volonté m'est connue par ses actes, non par sa nature. Je connais cette volonté comme cause motrice; mais concevoir la matière productrice du mouvement, c'est clairement concevoir un effet sans cause, c'est ne concevoir absolument rien.

Il ne m'est pas plus possible de concevoir comment ma volonté meut mon corps que comment mes sensations affectent mon âme. Je ne sais pas même pourquoi l'un de ces mystères a paru plus explicable que l'autre. Quant à moi, soit quand je suis passif, soit quand je suis actif, le moyen d'union des deux substances me paraît absolument incompréhensible. Il est bien étrange qu'on parte de cette incompréhensibilité même pour confondre les deux substances, comme si des opérations de natures si différentes s'expliquaient mieux dans un seul sujet que dans deux[40].

Le dogme que je viens d'établir est obscur, il est vrai; mais enfin il offre un sens, et il n'a rien qui répugne à la raison ni à l'observation : en peut-on dire autant du matérialisme? N'est-il pas clair que si le mouvement était essentiel à la matière, il en serait inséparable, il y serait toujours en même degré, toujours le même dans chaque portion de matière, il serait incommunicable, il ne pourrait ni augmenter ni diminuer, et l'on ne pourrait pas même concevoir la matière en repos? Quand on me dit que le mouvement ne lui est pas essentiel, mais nécessaire, on veut me donner le change par des mots qui seraient plus aisés à réfuter s'ils avaient un peu plus de sens. Car, ou le mouvement de la matière lui vient d'elle-même, et alors il lui est essentiel, ou, s'il lui vient d'une cause étrangère, il n'est nécessaire à la matière qu'autant que la cause motrice agit sur elle : nous rentrons dans la première difficulté.

Les idées générales et abstraites sont la source des plus grandes erreurs des hommes ; jamais le jargon de la métaphysique n'a fait découvrir une seule vérité, et il a rempli la philosophie d'absurdités dont on a honte, sitôt qu'on les dépouille de leurs grands mots. Dites-moi, mon ami, si, quand on vous parle d'une force aveugle répandue dans toute la nature, on porte quelque véritable idée à votre esprit. On croit dire quelque chose par ces mots vagues de *force universelle*, de *mouvement nécessaire*, et l'on ne dit rien du tout. L'idée du mouvement n'est autre chose que l'idée du transport d'un lieu à un autre : il n'y a point de mouvement sans quelque direction ; car un être individuel ne saurait se mouvoir à la fois dans tous les sens. Dans quel sens donc la matière se meut-elle nécessairement ? Toute la matière en corps a-t-elle un mouvement uniforme, ou chaque atome a-t-il son mouvement propre ? Selon la première idée, l'univers entier doit former une masse solide et indivisible ; selon la seconde, il ne doit former qu'un fluide épars et incohérent, sans qu'il soit jamais possible que deux atomes se réunissent. Sur quelle direction se fera ce mouvement commun de toute la matière ? Sera-ce en droite ligne, en haut, en bas, à droite ou à gauche ? Si chaque molécule de matière a sa direction particulière, quelles seront les causes de toutes ces directions et de toutes ces différences ? Si chaque atome ou molécule de matière ne faisait que tourner sur son propre centre, jamais rien ne sortirait de sa place, et il n'y aurait point de mouvement communiqué ; encore même faudrait-il que ce mouvement circulaire fût déterminé dans quelque sens. Donner à la matière le mouvement par abstraction, c'est dire des mots qui ne signifient rien; et lui donner un mouvement déterminé, c'est supposer une cause qui le détermine. Plus je multiplie les forces particulières, plus j'ai de nouvelles causes à expliquer, sans jamais trouver aucun agent commun qui les dirige. Loin de pouvoir imaginer aucun ordre dans le concours fortuit des éléments, je n'en puis pas même imaginer le combat, et le chaos de l'univers m'est plus inconcevable que son harmonie. Je comprends que le mécanisme du monde peut n'être pas intelligible à l'esprit humain; mais sitôt qu'un homme se mêle de l'expliquer, il doit dire des choses que les hommes entendent[41].

Si la matière mue me montre une volonté, la matière mue selon de certaines lois me montre une intelligence : c'est mon second article de foi. Agir, comparer, choisir sont les opérations d'un être actif et pensant : donc cet être existe. Où le voyez-vous exister? m'allez-vous dire. Non seulement dans les cieux qui roulent, dans l'astre qui nous éclaire; non seulement dans moi-même, mais dans la brebis qui paît, dans l'oiseau qui vole, dans la pierre qui tombe, dans la feuille qu'emporte le vent.

Je juge de l'ordre du monde quoique j'en ignore la fin, parce que pour juger de cet ordre il me suffit de comparer les parties entre elles, d'étudier leur concours, leurs rapports, d'en remarquer le concert. J'ignore pourquoi l'univers existe; mais je ne laisse pas de voir comment il est modifié : je ne laisse pas d'apercevoir l'intime correspondance par laquelle les êtres qui le composent se prêtent un secours mutuel. Je suis comme un homme qui verrait pour la première fois une montre ouverte, et qui ne laisserait pas d'en admirer l'ouvrage, quoiqu'il ne connût pas l'usage de la machine et qu'il n'eût point vu le cadran. Je ne sais, dirait-il, à quoi le tout est bon; mais je vois que chaque pièce est faite pour les autres; j'admire l'ouvrier dans le détail de son ouvrage, et je suis bien sûr que ces rouages ne marchent ainsi de concert que pour une fin commune qu'il m'est impossible d'apercevoir.

Comparons les fins particulières, les moyens, les rapports ordonnés de toute espèce, puis écoutons le sentiment intérieur ; quel esprit sain peut se refuser à son témoignage ? À quels yeux non prévenus l'ordre sensible de l'univers n'annonce-t-il pas une suprême intelligence ? Et que de sophismes ne faut-il point entasser pour méconnaître l'harmonie des êtres et l'admirable concours de chaque pièce pour la conservation des autres ? Qu'on me parle tant qu'on voudra de combinaisons et de chances ; que vous sert de me réduire au silence, si vous ne pouvez m'amener à la persuasion ? Et comment m'ôterez-vous le sentiment involontaire qui vous dément toujours malgré moi ? Si les corps organisés se sont combinés fortuitement de mille manières avant de prendre des formes constantes, s'il s'est formé d'abord des estomacs sans bouches, des pieds sans têtes, des mains sans bras, des organes imparfaits de toute espèce qui sont péris faute de pouvoir se conserver, pourquoi nul de ces informes essais ne frappe-t-il plus nos regards[42] ? Pourquoi la nature s'est-elle enfin prescrit des lois auxquelles elle n'était pas d'abord assujettie ? Je ne dois point être surpris qu'une chose arrive lorsqu'elle est possible, et que la difficulté de l'événement est compensée par la quantité des jets ; j'en conviens. Cependant, si l'on venait me dire que des caractères d'imprimerie projetés au hasard ont donné l'*Énéide* tout arrangée, je ne daignerais pas faire un pas pour aller vérifier le mensonge. Vous oubliez, me dira-t-on, la quantité des jets. Mais de ces jets-là combien faut-il que j'en suppose pour rendre la combinaison vraisemblable ? Pour moi, qui n'en vois qu'un seul, j'ai l'infini à parier contre un que son produit n'est point l'effet du hasard. Ajoutez que des combinaisons et des chances ne donneront jamais que des produits de même nature que les éléments combinés, que l'organisation et la vie ne résulteront point d'un jet d'atomes, et qu'un chimiste combinant des mixtes ne les fera point sentir et penser dans son creuset*[43].

J'ai lu Nieuwentyt[44] avec surprise, et presque avec scandale. Comment cet homme a-t-il pu vouloir faire un livre des merveilles de la nature, qui montrent la sagesse de son auteur? Son livre serait aussi gros que le monde qu'il n'aurait pas épuisé son sujet; et sitôt qu'on veut entrer dans les détails, la plus grande merveille échappe, qui est l'harmonie et l'accord du tout. La seule génération des corps vivants et organisés est l'abîme de l'esprit humain; la barrière insurmontable que la nature a mise entre les diverses espèces, afin qu'elles ne se confondissent pas, montre ses intentions avec la dernière évidence. Elle ne s'est pas contentée d'établir l'ordre, elle a pris des mesures certaines pour que rien ne pût le troubler.

Il n'y a pas un être dans l'univers qu'on ne puisse, à quelque égard, regarder comme le centre commun de tous les autres, autour duquel ils sont tous ordonnés, en sorte qu'ils sont tous réciproquement fins et moyens les uns relativement aux autres. L'esprit se confond et se perd dans cette infinité de rapports, dont pas un n'est confondu ni perdu dans la foule[45]. Que d'absurdes suppositions pour déduire toute cette harmonie de l'aveugle mécanisme de la matière mue fortuitement! Ceux qui nient l'unité d'intention qui se manifeste dans les rapports de toutes les parties de ce grand tout ont beau couvrir leur galimatias d'abstractions, de coordinations, de principes généraux, de termes emblématiques; quoi qu'ils fassent, il m'est

* Croirait-on, si l'on n'en avait la preuve, que l'extravagance humaine pût être portée à ce point? Amatus Lusitanus assurait avoir vu un petit homme long d'un pouce enfermé dans un verre, que Julius Camillus, comme un autre Prométhée, avait fait par la science alchimique. Paracelse, *De natura rerum*, enseigne la façon de produire ces petits hommes, et soutient que les pygmées, les faunes, les satyres et les nymphes ont été engendrés par la chimie. En effet, je ne vois pas trop qu'il reste désormais autre chose à faire, pour établir la possibilité de ces faits, si ce n'est d'avancer que la matière organique résiste à l'ardeur du feu, et que ses molécules peuvent se conserver en vie dans un fourneau de réverbère.

impossible de concevoir un système d'êtres si constamment ordonnés que je ne conçoive une intelligence qui l'ordonne. Il ne dépend pas de moi de croire que la matière passive et morte a pu produire des êtres vivants et sentants, qu'une fatalité aveugle a pu produire des êtres intelligents, que ce qui ne pense point a pu produire des êtres qui pensent[46].

Je crois donc que le monde est gouverné par une volonté puissante et sage; je le vois, ou plutôt je le sens, et cela m'importe à savoir. Mais ce même monde est-il éternel ou créé? Y a-t-il un principe unique des choses? Y en a-t-il deux ou plusieurs? Et quelle est leur nature? Je n'en sais rien, et que m'importe! À mesure que ces connaissances me deviendront intéressantes, je m'efforcerai de les acquérir; jusque-là je renonce à des questions oiseuses qui peuvent inquiéter mon amour-propre, mais qui sont inutiles à ma conduite et supérieures à ma raison[47].

Souvenez-vous toujours que je n'enseigne point mon sentiment, je l'expose. Que la matière soit éternelle ou créée, qu'il y ait un principe passif ou qu'il n'y en ait point; toujours est-il certain que le tout est un, et annonce une intelligence unique; car je ne vois rien qui ne soit ordonné dans le même système, et qui ne concoure à la même fin, savoir la conservation du tout dans l'ordre établi. Cet être qui veut et qui peut, cet être actif par lui-même, cet être, enfin, quel qu'il soit, qui meut l'univers et ordonne toutes choses, je l'appelle Dieu. Je joins à ce nom les idées d'intelligence, de puissance, de volonté, que j'ai rassemblées, et celle de bonté qui en est une suite nécessaire; mais je n'en connais pas mieux l'être auquel je l'ai donné; il se dérobe également à mes sens et à mon entendement; plus j'y pense, plus je me confonds; je sais très certainement qu'il existe, et qu'il existe par lui-même : je sais que mon existence est subordonnée à la sienne, et que toutes les choses qui me sont connues sont absolument dans le même cas. J'aperçois Dieu partout dans ses œuvres; je le sens en moi, je le vois tout autour de moi ; mais sitôt que je veux le contempler en lui-même, sitôt que je veux chercher où il est, ce qu'il est, quelle est sa substance, il m'échappe et mon esprit troublé n'aperçoit plus rien.

Pénétré de mon insuffisance, je ne raisonnerai jamais sur la nature de Dieu que je n'y sois forcé par le sentiment de ses rapports avec moi[48]. Ces raisonnements sont toujours téméraires, un homme sage ne doit s'y livrer qu'en tremblant, et sûr qu'il n'est pas fait pour les approfondir : car ce qu'il y a de plus injurieux à la Divinité n'est pas de n'y point penser, mais d'en mal penser.

Après avoir découvert ceux de ces attributs par lesquels je conçois mon existence, je reviens à moi, et je cherche quel rang j'occupe dans l'ordre des choses qu'elle gouverne, et que je puis examiner. Je me trouve incontestablement au premier par mon espèce ; car, par ma volonté et par les instruments qui sont en mon pouvoir pour l'exécuter, j'ai plus de force pour agir sur tous les corps qui m'environnent, ou pour me prêter ou me dérober comme il me plaît à leur action, qu'aucun d'eux n'en a pour agir sur moi malgré moi par la seule impulsion physique ; et, par mon intelligence, je suis le seul qui ait inspection sur le tout. Quel être ici-bas, hors l'homme, sait observer tous les autres, mesurer, calculer, prévoir leurs mouvements, leurs effets, et joindre, pour ainsi dire, le sentiment de l'existence commune à celui de son existence individuelle ? Qu'y a-t-il de si ridicule à penser que tout est fait pour moi, si je suis le seul qui sache tout rapporter à lui ?

Il est donc vrai que l'homme est le roi de la terre qu'il habite ; car non seulement il dompte tous les animaux, non seulement il dispose des éléments par son industrie, mais lui seul sur la terre en sait disposer, et il s'approprie encore, par la contemplation, les astres mêmes dont il ne peut approcher. Qu'on me montre un autre animal sur la terre qui sache faire usage du feu, et qui sache admirer le soleil. Quoi ! je puis observer, connaître les êtres et leurs rapports ? je puis sentir ce que c'est qu'ordre, beauté, vertu; je puis contempler l'univers, m'élever à la main qui le gouverne; je puis aimer le bien, le faire; et je me comparerais aux bêtes! Âme abjecte, c'est ta triste philosophie qui te rend semblable à elles : ou plutôt tu veux en vain t'avilir, ton génie dépose contre tes principes, ton cœur bienfaisant dément ta doctrine, et l'abus même de tes facultés prouve leur excellence en dépit de toi[49].

Pour moi qui n'ai point de système à soutenir, moi, homme simple et vrai, que la fureur d'aucun parti n'entraîne et qui n'aspire point à l'honneur d'être chef de secte, content de la place où Dieu m'a mis, je ne vois rien, après lui, de meilleur que mon espèce; et si j'avais à choisir ma place dans l'ordre des êtres, que pourrais-je choisir de plus que d'être homme?

Cette réflexion m'enorgueillit moins qu'elle ne me touche; car cet état n'est point de mon choix, et il n'était pas dû au mérite d'un être qui n'existait pas encore. Puis-je me voir ainsi distingué sans me féliciter de remplir ce poste honorable, et sans bénir la main qui m'y a placé? De mon premier retour sur moi naît dans mon cœur un sentiment de reconnaissance et de bénédiction pour l'auteur de mon espèce, et de ce sentiment mon premier hommage à la Divinité bienfaisante. J'adore la puissance suprême et je m'attendris sur ses bienfaits. Je n'ai pas besoin qu'on m'enseigne ce culte, il m'est dicté par la nature elle-même. N'est-ce pas une conséquence naturelle de l'amour de soi, d'honorer ce qui nous protège, et d'aimer ce qui nous veut du bien[50]?

Mais quand, pour connaître ensuite ma place individuelle dans mon espèce, j'en considère les divers rangs et les hommes qui les remplissent, que deviens-je? Quel spectacle! Où est l'ordre que j'avais observé? Le tableau de la nature ne m'offrait qu'harmonie et proportions, celui du genre humain ne m'offre que confusion, désordre! Le concert règne entre les éléments, et les hommes sont dans le chaos! Les animaux sont heureux, leur roi seul est misérable! Ô sagesse, où sont tes lois? Ô Providence, est-ce ainsi que tu régis le monde ? Être bienfaisant, qu'est devenu ton pouvoir ? Je vois le mal sur la terre[51].

Croiriez-vous, mon bon ami, que de ces tristes réflexions et de ces contradictions apparentes se formèrent dans mon esprit les sublimes idées de l'âme, qui n'avaient point jusque-là résulté de mes recherches ? En méditant sur la nature de l'homme, j'y crus découvrir deux principes distincts, dont l'un l'élevait à l'étude des vérités éternelles, à l'amour de la justice et du beau moral, aux régions du monde intellectuel dont la contemplation fait les délices du sage, et dont l'autre le ramenait bassement en lui-même, l'asservissait à l'empire des sens, aux passions qui sont leurs ministres, et contrariait par elles tout ce que lui inspirait le sentiment du premier. En me sentant entraîné, combattu par ces deux mouvements contraires, je me disais : Non, l'homme n'est point un : je veux et je ne veux pas, je me sens à la fois esclave et libre ; je vois le bien, je l'aime, et je fais le mal ; je suis actif quand j'écoute la raison, passif quand mes passions m'entraînent ; et mon pire tourment quand je succombe est de sentir que j'ai pu résister.

Jeune homme, écoutez avec confiance, je serai toujours de bonne foi. Si la conscience est l'ouvrage des préjugés, j'ai tort, sans doute, et il n'y a point de morale démontrée ; mais si se préférer à tout est un penchant naturel à l'homme, et si pourtant le premier sentiment de la justice est inné dans le cœur humain, que celui qui fait de l'homme un être simple lève ces contradictions, et je ne reconnais plus qu'une substance[52].

Vous remarquerez que, par ce mot de *substance*, j'entends en général l'être doué de quelque qualité primitive, et abstraction faite de toutes modifications particulières ou secondaires. Si donc toutes les qualités primitives qui nous sont connues peuvent se réunir dans un même être, on ne doit admettre qu'une substance ; mais s'il y en a qui s'excluent mutuellement, il y a autant de diverses substances qu'on peut faire de pareilles exclusions. Vous réfléchirez sur cela; pour moi, je n'ai besoin, quoi qu'en dise Locke, de connaître la matière que comme étendue et divisible, pour être assuré qu'elle ne peut penser; et quand un philosophe viendra me dire que les arbres sentent et que les roches pensent*, il aura beau m'embarrasser dans ses arguments subtils, je ne puis voir en lui qu'un sophiste de mauvaise foi, qui aime mieux donner le sentiment aux pierres que d'accorder une âme à l'homme[53].

Supposons un sourd qui nie l'existence des sons, parce qu'ils n'ont jamais frappé son oreille[54]. Je mets sous ses yeux un instrument à corde, dont je fais sonner l'unisson par un autre instrument caché : le sourd voit frémir la corde; je lui dis : C'est le son qui fait cela. Point du tout, répond-il; la cause du frémisse-

* Il me semble que, loin de dire que les rochers pensent, la philosophie moderne a découvert au contraire que les hommes ne pensent point. Elle ne reconnaît plus que des êtres sensitifs dans la nature; et toute la différence qu'elle trouve entre un homme et une pierre est que l'homme est un être sensitif qui a des sensations, et la pierre un être sensitif qui n'en a pas. Mais s'il est vrai que toute matière sente, où concevrai-je l'unité sensitive ou le moi individuel? sera-ce dans chaque molécule de matière ou dans des corps agrégatifs? Placerai-je également cette unité dans les fluides et dans les solides, dans les mixtes et dans les éléments? Il n'y a, dit-on, que des individus dans la nature! Mais quels sont ces individus? Cette pierre est-elle un individu ou une agrégation d'individus? Est-elle un seul être sensitif, ou en contient-elle autant que de grains de sable? Si chaque atome élémentaire est un être sensitif, comment concevrai-je cette intime communication par laquelle l'un se sent dans l'autre, en sorte que leurs deux *moi* se confondent en un? L'attraction peut être une loi de la nature dont le mystère nous est inconnu; mais nous concevons au moins que l'attraction, agissant selon les masses, n'a rien d'incompatible avec l'étendue et la divisibilité. Concevez-vous la même chose du sentiment? Les parties sensibles sont étendues, mais l'être sensitif est invisible et un; il ne se partage pas, il est tout entier ou nul; l'être sensitif n'est donc pas un corps. Je ne sais comment l'entendent nos matérialistes, mais il me semble que les mêmes difficultés qui leur ont fait rejeter la pensée leur devraient faire aussi rejeter le sentiment; et je ne vois pas pourquoi, ayant fait le premier pas, ils ne feraient pas aussi l'autre; que leur en coûterait-il de plus? et puisqu'ils sont sûrs qu'ils ne pensent pas, comment osent-ils affirmer qu'ils sentent?

ment de la corde est en elle-même; c'est une qualité commune à tous les corps de frémir ainsi. Montrez-moi donc, reprends-je, ce frémissement dans les autres corps, ou du moins sa cause dans cette corde. Je ne puis, réplique le sourd; mais, parce que je ne conçois pas comment frémit cette corde, pourquoi faut-il que j'aille expliquer cela par vos sons, dont je n'ai pas la moindre idée? C'est expliquer un fait obscur par une cause encore plus obscure. Ou rendez-moi vos sons sensibles, ou je dis qu'ils n'existent pas.

Plus je réfléchis sur la pensée et sur la nature de l'esprit humain, plus je trouve que le raisonnement des matérialistes ressemble à celui de ce sourd. Ils sont sourds, en effet, à la voix intérieure qui leur crie d'un ton difficile à méconnaître : Une machine ne pense point, il n'y a ni mouvement ni figure qui produise la réflexion : quelque chose en toi cherche à briser les liens qui le compriment; l'espace n'est pas ta mesure, l'univers entier n'est pas assez grand pour toi : tes sentiments, tes désirs, ton inquiétude, ton orgueil même, ont un autre principe que ce corps étroit dans lequel tu te sens enchaîné.

Nul être matériel n'est actif par lui-même, et moi je le suis. On a beau me disputer cela, je le sens, et ce sentiment qui me parle est plus fort que la raison qui le combat. J'ai un corps sur lequel les autres agissent et qui agit sur eux; cette action réciproque n'est pas douteuse; mais ma volonté est indépendante de mes sens[55], je consens ou je résiste, je succombe ou je suis vainqueur, et je sens parfaitement en moi-même quand je fais ce que j'ai voulu faire, ou quand je ne fais que céder à mes passions. J'ai toujours la puissance de vouloir, non la force d'exécuter. Quand je me livre aux tentations, j'agis selon l'impulsion des objets externes. Quand je me reproche cette faiblesse, je n'écoute que ma volonté; je suis esclave par mes vices, et libre par mes remords; le sentiment de ma liberté ne s'efface en moi que quand je me déprave, et que j'empêche enfin la voix de l'âme de s'élever contre la loi du corps.

Je ne connais la volonté que par le sentiment de la mienne, et l'entendement ne m'est pas mieux connu. Quand on me demande quelle est la cause qui détermine ma volonté, je demande à mon tour quelle est la cause qui détermine mon jugement : car il est clair que ces deux causes n'en font qu'une; et si l'on comprend bien que l'homme est actif dans ses jugements, que son entendement n'est que le pouvoir de comparer et de juger, on verra que sa fierté n'est qu'un pouvoir semblable, ou dérivé de celui-là; il choisit le bon comme il a jugé le vrai; s'il juge faux, il choisit mal. Quelle est donc la cause qui détermine sa volonté ? C'est son jugement. Et quelle est la cause qui détermine son jugement ? C'est sa faculté intelligente, c'est sa puissance de juger; la cause déterminante est en lui-même[56]. Passé cela, je n'entends plus rien.

Sans doute je ne suis pas libre de ne pas vouloir mon propre bien, je ne suis pas libre de vouloir mon mal; mais ma liberté consiste en cela même que je ne puis vouloir que ce qui m'est convenable, ou que j'estime tel, sans que rien d'étranger à moi me détermine. S'ensuit-il que je ne sois pas mon maître, parce que je ne suis pas le maître d'être un autre que moi ?

Le principe de toute action est dans la volonté d'un être libre; on ne saurait remonter au-delà. Ce n'est pas le mot de liberté qui ne signifie rien, c'est celui de nécessité[57]. Supposer quelque acte, quelque effet qui ne dérive pas d'un principe actif, c'est vraiment supposer des effets sans cause, c'est tomber dans le cercle vicieux. Ou il n'y a point de première impulsion, ou toute première impulsion n'a nulle cause antérieure, et il n'y a point de véritable volonté sans liberté. L'homme est donc libre dans ses actions, et, comme tel, animé d'une substance immatérielle, c'est mon troisième article de foi. De ces trois premiers vous déduirez aisément tous les autres, sans que je continue à les compter.

Si l'homme est actif et libre, il agit de lui-même; tout ce qu'il fait librement n'entre point dans le système ordonné de la Providence, et ne peut lui être imputé. Elle ne veut point le mal que fait l'homme, en abusant de la liberté qu'elle lui donne; mais elle ne l'empêche pas de le faire, soit que de la part d'un être si faible ce mal soit nul à ses yeux, soit qu'elle ne pût l'empêcher sans gêner sa liberté et faire un mal plus grand en dégradant sa nature. Elle l'a fait libre afin qu'il fît non le mal, mais le bien par choix[58]. Elle l'a mis en état de faire ce choix en usant bien des facultés dont elle l'a doué; mais elle a tellement borné ses forces que l'abus de la liberté qu'elle lui laisse ne peut troubler l'ordre général. Le mal que l'homme fait retombe sur lui sans rien changer au système du monde, sans empêcher que l'espèce humaine elle-même ne se conserve malgré qu'elle en ait. Murmurer de ce que Dieu ne l'empêche pas de faire le mal, c'est murmurer de ce qu'il la fit d'une nature excellente, de ce qu'il mit à ses actions la moralité qui les ennoblit, de ce qu'il lui donna droit à la vertu. La suprême jouissance est dans le contentement de soi-même[59]; c'est pour mériter ce contentement que nous sommes placés sur la terre et doués de la liberté, que nous sommes tentés par les passions et retenus par la conscience. Que pouvait de plus en notre faveur la puissance divine elle-même? Pouvait-elle mettre de la contradiction dans notre nature et donner le prix d'avoir bien fait à qui n'eut pas le pouvoir de mal faire? Quoi! pour empêcher l'homme d'être méchant, fallait-il le borner à l'instinct et le faire bête? Non, Dieu de mon âme, je ne te reprocherai jamais de l'avoir faite à ton image, afin que je pusse être libre, bon et heureux comme toi.

C'est l'abus de nos facultés qui nous rend malheureux et méchants[60]. Nos chagrins, nos soucis, nos peines nous viennent de nous. Le mal moral est incontestablement notre ouvrage, et le mal physique ne serait rien sans nos vices, qui nous l'ont rendu sensible. N'est-ce pas pour nous conserver que la nature nous fait sentir nos besoins? La douleur du corps n'est-elle pas un signe que la machine se dérange, et un avertissement d'y pourvoir? La mort... Les méchants n'empoisonnent-ils pas leur vie et la nôtre? Qui est-ce qui voudrait toujours vivre? La mort est le remède aux maux que vous vous faites; la nature a voulu que vous ne souffrissiez pas toujours. Combien l'homme vivant dans la simplicité primitive est sujet à peu de maux! Il vit presque sans maladies ainsi que sans passions, et ne prévoit ni ne sent la mort; quand il la sent, ses misères la lui rendent désirable : dès lors elle n'est plus un mal pour lui. Si nous nous contentions d'être ce que nous sommes, nous n'aurions point à déplorer notre sort; mais pour chercher un bien-être imaginaire, nous nous donnons mille maux réels. Qui ne sait pas supporter un peu de souffrance doit s'attendre à beaucoup souffrir. Quand on a gâté sa constitution par une vie déréglée, on la veut rétablir par des remèdes; au mal qu'on sent on ajoute celui qu'on craint; la prévoyance de la mort la rend horrible et l'accélère; plus on la veut fuir, plus on la sent; et l'on meurt de frayeur durant toute sa vie, en murmurant contre la nature des maux qu'on s'est faits en l'offensant.

Homme, ne cherche plus l'auteur du mal; cet auteur, c'est toi-même. Il n'existe point d'autre mal que celui que tu fais ou que tu souffres, et l'un et l'autre te vient de toi. Le mal général ne peut être que dans le désordre, et je vois dans le système du monde un ordre qui ne se dément point. Le mal particulier n'est que dans le sentiment de l'être qui souffre; et ce sentiment, l'homme ne l'a pas reçu de la nature, il se l'est donné. La douleur a peu de prise sur quiconque, ayant peu réfléchi, n'a ni souvenir ni prévoyance. Ôtez nos funestes progrès, ôtez nos erreurs et nos vices, ôtez l'ouvrage de l'homme, et tout est bien[61].

Où tout est bien, rien n'est injuste. La justice est inséparable de la bonté; or la bonté est l'effet nécessaire d'une puissance sans borne et de l'amour de soi, essentiel à tout être qui se sent. Celui qui peut tout étend, pour ainsi dire, son existence avec celle des êtres. Produire et conserver sont l'acte perpétuel de la puissance; elle n'agit point sur ce qui n'est pas; Dieu n'est pas le Dieu des morts, il ne pourrait être destructeur et méchant sans se nuire. Celui qui peut tout ne peut vouloir que ce qui est bien*. Donc l'Être souverainement bon parce qu'il est souverainement puissant doit être aussi souverainement juste, autrement il se contredirait lui-même; car l'amour de l'ordre qui le produit s'appelle *bonté*, et l'amour de l'ordre qui le conserve s'appelle *justice*[62].

Dieu, dit-on, ne doit rien à ses créatures. Je crois qu'il leur doit tout ce qu'il leur promit en leur donnant l'être. Or c'est leur promettre un bien que de leur en donner l'idée et de leur en faire sentir le besoin. Plus je rentre en moi, plus je me consulte, et plus je lis ces mots écrits dans mon âme : *Sois juste, et tu seras heureux*. Il n'en est rien pourtant, à considérer l'état présent des choses; le méchant prospère, et le juste reste opprimé. Voyez aussi quelle indignation s'allume en nous quand cette attente est frustrée! La conscience s'élève et murmure contre son auteur; elle lui crie en gémissant : Tu m'as trompé!

Je t'ai trompé, téméraire! et qui te l'a dit? Ton âme est-elle anéantie? As-tu cessé d'exister? Ô Brutus[63], ô mon fils! ne souille point ta noble vie en la finissant; ne laisse point ton espoir et ta gloire avec ton corps aux champs de Philippes. Pourquoi dis-tu : *La vertu n'est rien*, quand tu vas jouir du prix de la tienne? Tu vas mourir, penses-tu : non, tu vas vivre, et c'est alors que je tiendrai tout ce que je t'ai promis.

On dirait, aux murmures des impatients mortels, que Dieu leur doit la récompense avant le mérite, et qu'il est obligé de payer leur vertu d'avance. Oh! soyons bons premièrement, et puis nous serons heureux. N'exigeons pas le prix avant la victoire, ni le salaire avant le travail. Ce n'est point dans la lice, disait Plutarque[64], que les vainqueurs de nos jeux

* Quand les Anciens appelaient *optimus maximus* le Dieu suprême, ils disaient très vrai; mais en disant *maximus optimus*, ils auraient parlé plus exactement, puisque sa bonté vient de sa puissance; il est bon parce qu'il est grand.

sacrés sont couronnés, c'est après qu'ils l'ont parcourue.

Si l'âme est immatérielle, elle peut survivre au corps; et si elle lui survit, la Providence est justifiée. Quand je n'aurais d'autre preuve de l'immatérialité de l'âme que le triomphe du méchant et l'oppression du juste en ce monde, cela seul m'empêcherait d'en douter[65]. Une si choquante dissonance dans l'harmonie universelle me ferait chercher à la résoudre. Je me dirais : Tout ne finit pas pour nous avec la vie, tout rentre dans l'ordre à la mort. J'aurais, à la vérité, l'embarras de me demander où est l'homme, quand tout ce qu'il avait de sensible est détruit. Cette question n'est plus une difficulté pour moi, sitôt que j'ai reconnu deux substances. Il est très simple que, durant ma vie corporelle, n'apercevant rien que par mes sens, ce qui ne leur est point soumis m'échappe. Quand l'union du corps et de l'âme est rompue, je conçois que l'un peut se dissoudre, et l'autre se conserver. Pourquoi la destruction de l'un entraînerait-elle la destruction de l'autre? Au contraire, étant de natures si différentes, ils étaient, par leur union, dans un état violent; et quand cette union cesse, ils rentrent tous deux dans leur état naturel : la substance active et vivante regagne toute la force qu'elle employait à mouvoir la substance passive et morte. Hélas! je le sens trop par mes vices, l'homme ne vit qu'à moitié durant sa vie, et la vie de l'âme ne commence qu'à la mort du corps.

Mais quelle est cette vie? et l'âme est-elle immortelle par sa nature? Mon entendement borné ne conçoit rien sans bornes : tout ce qu'on appelle infini m'échappe[66]. Que puis-je nier, affirmer? quels raisonnements puis-je faire sur ce que je ne puis concevoir? Je crois que l'âme survit au corps assez pour le maintien de l'ordre : qui sait si c'est assez pour durer toujours? Toutefois je conçois comment le corps s'use et se détruit par la division des parties : mais je ne puis concevoir une destruction pareille de l'être pensant; et, n'imaginant point comment il peut mourir, je présume qu'il ne meurt pas. Puisque cette présomption me console et n'a rien de déraisonnable, pourquoi craindrais-je de m'y livrer?

Je sens mon âme, je la connais par le sentiment et par la pensée, je sais qu'elle est, sans savoir quelle est son essence; je ne puis raisonner sur des idées que je n'ai pas. Ce que je sais bien, c'est que l'identité du *moi* ne se prolonge que par la mémoire, et que, pour être le même en effet, il faut que je me souvienne d'avoir été. Or je ne saurais me rappeler, après ma mort, ce que j'ai été durant ma vie, que je ne me rappelle aussi ce que j'ai senti, par conséquent ce que j'ai fait; et je ne doute point que ce souvenir ne fasse un jour la félicité des bons et le tourment des méchants. Ici-bas, mille passions ardentes absorbent le sentiment interne, et donnent le change aux remords. Les humiliations, les disgrâces qu'attire l'exercice des vertus, empêchent d'en sentir tous les charmes. Mais quand, délivrés des illusions que nous font le corps et les sens, nous jouirons de la contemplation de l'Être suprême et des vérités éternelles dont il est la source, quand la beauté de l'ordre frappera toutes les puissances de notre âme, et que nous serons uniquement occupés à comparer ce que nous avons fait avec ce que nous avons dû faire, c'est alors que la voix de la conscience reprendra sa force et son empire, c'est alors que la volupté pure qui naît du contentement de soi-même, et le regret amer de s'être avili, distingueront par des sentiments inépuisables le sort que chacun se sera préparé[67]. Ne me demandez point, ô mon bon ami, s'il y aura d'autres sources de bonheur et de peines; je l'ignore; et c'est assez de celles que j'imagine pour me consoler de cette vie, et m'en faire espérer une autre. Je ne dis point que les bons seront récompensés; car quel autre bien peut attendre un être excellent que d'exister selon sa nature? Mais je dis qu'ils seront heureux, parce que leur auteur, l'auteur de toute justice, les ayant faits sensibles, ne les a pas faits pour souffrir; et que, n'ayant point abusé de leur liberté sur la terre, ils n'ont pas trompé leur destination par leur faute : ils ont souffert pourtant dans cette vie, ils seront donc dédommagés dans une autre. Ce sentiment est moins fondé sur le mérite de l'homme que sur la notion de bonté qui me semble inséparable de l'essence divine. Je ne fais que supposer les lois de l'ordre observées, et Dieu constant à lui-même*[68].

Ne me demandez pas non plus si les tourments des méchants seront éternels ; je l'ignore encore, et n'ai point la vaine curiosité d'éclaircir des questions inutiles. Que m'importe ce que deviendront les méchants ? Je prends peu d'intérêt à leur sort. Toutefois j'ai peine à croire qu'ils soient condamnés à des tourments sans fin. Si la suprême justice se venge, elle se venge dès cette vie. Vous et vos erreurs, ô nations ! êtes ses ministres. Elle emploie les maux que vous vous faites à punir les crimes qui les ont attirés. C'est dans vos cœurs insatiables, rongés d'envie, d'avarice et d'ambition, qu'au sein de vos fausses prospérités les passions vengeresses punissent vos forfaits. Qu'est-il besoin d'aller chercher l'enfer dans l'autre vie ? il est dès celle-ci dans le cœur des méchants[69].

Où finissent nos besoins périssables, où cessent nos désirs insensés doivent cesser aussi nos passions et nos crimes. De quelle perversité de purs esprits seraient-ils susceptibles ? N'ayant besoin de rien, pourquoi seraient-ils méchants ? Si, destitués de nos sens grossiers, tout leur bonheur est dans la contemplation des êtres, ils ne sauraient vouloir que le bien ; et quiconque cesse d'être méchant peut-il être à jamais misérable ? Voilà ce que j'ai du penchant à croire, sans prendre peine à me décider là-dessus. Ô Être clément et bon ! quels que soient tes décrets, je les adore ; si tu punis les méchants, j'anéantis ma faible raison devant ta justice. Mais si les remords de ces infortunés doivent s'éteindre avec le temps, si leurs maux doivent

* *Non pas pour nous, non pas pour nous, Seigneur,*
Mais pour ton nom, mais pour ton propre honneur,
Ô Dieu ! fais-nous revivre !

(Psaumes, 115.)

finir, et si la même paix nous attend tous également un jour, je t'en loue. Le méchant n'est-il pas mon frère ? Combien de fois j'ai été tenté de lui ressembler ! Que, délivré de sa misère, il perde aussi la malignité qui l'accompagne ; qu'il soit heureux ainsi que moi : loin d'exciter ma jalousie, son bonheur ne fera qu'ajouter au mien.

C'est ainsi que, contemplant Dieu dans ses œuvres, et l'étudiant par ceux de ses attributs qu'il m'importait de connaître, je suis parvenu à étendre et augmenter par degrés l'idée, d'abord imparfaite et bornée, que je me faisais de cet être immense. Mais si cette idée est devenue plus noble et plus grande, elle est aussi moins proportionnée à la raison humaine. À mesure que j'approche en esprit de l'éternelle lumière, son éclat m'éblouit, me trouble, et je suis forcé d'abandonner toutes les notions terrestres qui m'aidaient à l'imaginer[70]. Dieu n'est plus corporel et sensible ; la suprême Intelligence qui régit le monde n'est plus le monde même : j'élève et fatigue en vain mon esprit à concevoir son essence. Quand je pense que c'est elle qui donne la vie et l'activité à la substance vivante et active qui régit les corps animés ; quand j'entends dire que mon âme est spirituelle et que Dieu est un esprit, je m'indigne contre cet avilissement de l'essence divine ; comme si Dieu et mon âme étaient de même nature ; comme si Dieu n'était pas le seul être absolu, le seul vraiment actif, sentant, pensant, voulant par lui-même, et duquel nous tenons la pensée, le sentiment, l'activité, la volonté, la liberté, l'être ! Nous ne sommes libres que parce qu'il veut que nous le soyons, et sa substance inexplicable est à nos âmes ce que nos âmes sont à nos corps. S'il a créé la matière, les corps, les esprits, le monde, je n'en sais rien. L'idée de création me confond et passe ma portée : je la crois autant que je la puis concevoir ; mais je sais qu'il a formé l'univers et tout ce qui existe, qu'il a tout fait, tout ordonné. Dieu est éternel, sans doute ; mais mon esprit peut-il embrasser l'idée de l'éternité ? Pourquoi me payer de mots sans idée ? Ce que je conçois, c'est qu'il est avant les choses, qu'il sera tant qu'elles subsisteront, et qu'il serait même au-delà, si tout devait finir un jour. Qu'un être que je ne conçois pas donne l'existence à d'autres êtres, cela n'est qu'obscur et incompréhensible ; mais que l'être et le néant se convertissent d'eux-mêmes l'un dans l'autre, c'est une contradiction palpable, c'est une claire absurdité.

Dieu est intelligent ; mais comment l'est-il ? l'homme est intelligent quand il raisonne, et la suprême Intelligence n'a pas besoin de raisonner ; il n'y a pour elle ni prémisses ni conséquences, il n'y a pas même de proposition : elle est purement intuitive, elle voit également tout ce qui est et tout ce qui peut être ; toutes les vérités ne sont pour elle qu'une seule idée, comme tous les lieux un seul point, et tous les temps un seul moment. La puissance humaine agit par des moyens, la puissance divine agit par elle-même. Dieu peut parce qu'il veut ; sa volonté fait son pouvoir. Dieu est bon, rien n'est plus manifeste : mais la bonté dans l'homme est l'amour de ses semblables, et la bonté de Dieu est l'amour de l'ordre ; car c'est par l'ordre qu'il maintient ce qui existe, et lie chaque partie avec le tout. Dieu est juste ; j'en suis convaincu, c'est une suite de sa bonté ; l'injustice des hommes est leur œuvre et non pas la sienne ; le désordre moral, qui dépose contre la Providence aux yeux des philosophes, ne fait que la démontrer aux miens. Mais la justice de l'homme est de rendre à chacun ce qui lui appartient, et la justice de Dieu, de demander compte à chacun de ce qu'il lui a donné.

Que si je viens à découvrir successivement ces attributs dont je n'ai nulle idée absolue, c'est par des conséquences forcées, c'est par le bon usage de ma raison ; mais je les affirme sans les comprendre, et, dans le fond, c'est n'affirmer rien. J'ai beau me dire : Dieu est ainsi, je le sens, je me le prouve ; je n'en conçois pas mieux comment Dieu peut être ainsi.

Enfin, plus je m'efforce de contempler son essence infinie, moins je la conçois ; mais elle est, cela me suffit ; moins je la conçois, plus je l'adore. Je m'humilie, et lui dis : Être des êtres, je suis parce que tu es ; c'est m'élever à ma source que de te méditer sans cesse. Le plus digne usage de ma raison est de s'anéantir devant toi : c'est mon ravissement d'esprit, c'est le charme de ma faiblesse, de me sentir accablé de ta grandeur[71].

Après avoir ainsi de l'impression des objets sensibles et du sentiment intérieur qui me porte à juger des causes selon mes lumières naturelles déduit les principales vérités qu'il m'importait de connaître, il me reste à chercher quelles maximes j'en dois tirer pour ma conduite, et quelles règles je dois me prescrire pour remplir ma destination sur la terre, selon l'intention de celui qui m'y a placé[72]. En suivant toujours ma méthode, je ne tire point ces règles des principes d'une haute philosophie, mais je les trouve au fond de mon cœur écrites par la nature en caractères ineffaçables. Je n'ai qu'à me consulter sur ce que je veux faire : tout ce que je sens être bien est bien, tout ce que je sens être mal est mal : le meilleur de tous les casuistes est la conscience ; et ce n'est que quand on marchande avec elle qu'on a recours aux subtilités du raisonnement. Le premier de tous les soins est celui de soi-même : cependant combien de fois la voix intérieure nous dit qu'en faisant notre bien aux dépens d'autrui nous faisons mal[73] ! Nous croyons suivre l'impulsion de la nature, et nous lui résistons ; en écoutant ce qu'elle dit à nos sens, nous méprisons ce qu'elle dit à nos cœurs ; l'être actif obéit, l'être passif commande. La conscience est la voix de l'âme, les passions sont la voix du corps. Est-il étonnant que souvent ces deux langages se contredisent ? et alors lequel faut-il écouter ? Trop souvent la raison nous trompe, nous n'avons que trop acquis le droit de la récuser ; mais la conscience ne trompe jamais ; elle est le vrai guide de l'homme : elle est à l'âme ce que l'instinct est au corps* ; qui la suit obéit à la nature, et ne

* La philosophie moderne, qui n'admet que ce qu'elle explique, n'a garde d'admettre cette obscure faculté appelée *instinct*, qui paraît guider, sans aucune connaissance acquise, les animaux vers quelque fin. L'instinct, selon l'un de nos plus sages philosophes (Condillac), n'est qu'une habitude privée de réflexion, mais acquise

craint point de s'égarer[74]. Ce point est important, poursuivit mon bienfaiteur, voyant que j'allais l'interrompre : souffrez que je m'arrête un peu plus à l'éclaircir.

Toute la moralité de nos actions est dans le jugement que nous en portons nous-mêmes[75]. S'il est vrai que le bien soit bien, il doit être au fond de nos cœurs comme dans nos œuvres, et le premier prix de la justice est de sentir qu'on la pratique. Si la bonté morale est conforme à notre nature, l'homme ne saurait être sain d'esprit ni bien constitué qu'autant qu'il est bon. Si elle ne l'est pas, et que l'homme soit méchant naturellement, il ne peut cesser de l'être sans se corrompre, et la bonté n'est en lui qu'un vice contre nature. Fait pour nuire à ses semblables comme le loup pour égorger sa proie, un homme humain serait un animal aussi dépravé qu'un loup pitoyable; et la vertu seule nous laisserait des remords[76].

Rentrons en nous-mêmes, ô mon jeune ami! exa-

---

en réfléchissant; et de la manière dont il explique ce progrès, on doit conclure que les enfants réfléchissent plus que les hommes; paradoxe assez étrange pour valoir la peine d'être examiné. Sans entrer ici dans cette discussion, je demande quel nom je dois donner à l'ardeur avec laquelle mon chien fait la guerre aux taupes qu'il ne mange point, à la patience avec laquelle il les guette quelquefois des heures entières, et à l'habileté avec laquelle il les saisit, les jette hors terre au moment qu'elles poussent, et les tue ensuite, pour les laisser là, sans que jamais personne l'ait dressé à cette chasse, et lui ait appris qu'il y avait là des taupes. Je demande encore, et ceci est plus important, pourquoi, la première fois que j'ai menacé ce même chien, il s'est jeté le dos contre terre, les pattes repliées, dans une attitude suppliante et la plus propre à me toucher; posture dans laquelle il se fût bien gardé de rester, si, sans me laisser fléchir, je l'eusse battu dans cet état. Quoi! mon chien, tout petit encore, et ne faisant presque que de naître, avait-il acquis déjà des idées morales? savait-il ce que c'était que clémence et générosité? sur quelles lumières acquises espérait-il m'apaiser en s'abandonnant ainsi à ma discrétion? Tous les chiens du monde font à peu près la même chose dans le même cas, et je ne dis rien ici que chacun ne puisse vérifier. Que les philosophes, qui rejettent si dédaigneusement l'instinct, veuillent bien expliquer ce fait par le seul jeu des sensations et des connaissances qu'elles nous font acquérir; qu'ils l'expliquent d'une manière satisfaisante pour tout homme sensé; alors je n'aurai plus rien à dire, et je ne parlerai plus d'instinct.

minons, tout intérêt personnel à part, à quoi nos penchants nous portent. Quel spectacle nous flatte le plus, celui des tourments ou du bonheur d'autrui? Qu'est-ce qui nous est le plus doux à faire, et nous laisse une impression plus agréable après l'avoir fait, d'un acte de bienfaisance ou d'un acte de méchanceté? Pour qui vous intéressez-vous sur vos théâtres[77]? est-ce aux forfaits que vous prenez plaisir? Est-ce à leurs auteurs punis que vous donnez des larmes? Tout nous est indifférent, disent-ils[78], hors notre intérêt: et, tout au contraire, les douceurs de l'amitié, de l'humanité, nous consolent dans nos peines; et, même dans nos plaisirs, nous serions trop seuls, trop misérables, si nous n'avions avec qui les partager. S'il n'y a rien de moral dans le cœur de l'homme, d'où lui viennent donc ces transports d'admiration pour les actions héroïques, ces ravissements d'amour pour les grandes âmes? Cet enthousiasme de la vertu, quel rapport a-t-il avec notre intérêt privé? Pourquoi voudrais-je être Caton qui déchire ses entrailles, plutôt que César triomphant? Ôtez de nos cœurs cet amour du beau, vous ôtez tout le charme de la vie. Celui dont les viles passions ont étouffé dans son âme étroite ces sentiments délicieux; celui qui, à force de se concentrer au-dedans de lui, vient à bout de n'aimer que lui-même, n'a plus de transports, son cœur glacé ne palpite plus de joie; un doux attendrissement n'humecte jamais ses yeux; il ne jouit plus de rien; le malheureux ne sent plus, ne vit plus; il est déjà mort.

Mais, quel que soit le nombre des méchants sur la terre, il est peu de ces âmes cadavéreuses devenues insensibles, hors leur intérêt, à tout ce qui est juste et bon. L'iniquité ne plaît qu'autant qu'on en profite; dans tout le reste on veut que l'innocent soit protégé. Voit-on dans une rue ou sur un chemin quelque acte de violence et d'injustice; à l'instant un mouvement de colère et d'indignation s'élève au fond du cœur, et nous porte à prendre la défense de l'opprimé : mais un devoir plus puissant nous retient, et les lois nous ôtent le droit de protéger l'innocence[79]. Au contraire, si quelque acte de clémence ou de générosité frappe nos yeux, quelle admiration, quel amour il nous inspire ! Qui est-ce qui ne se dit pas : J'en voudrais avoir fait autant ? Il nous importe sûrement fort peu qu'un homme ait été méchant ou juste il y a deux mille ans ; et cependant le même intérêt nous affecte dans l'histoire ancienne, que si tout cela s'était passé de nos jours. Que me font à moi les crimes de Catilina ? ai-je peur d'être sa victime ? Pourquoi donc ai-je de lui la même horreur que s'il était mon contemporain ? Nous ne haïssons pas seulement les méchants parce qu'ils nous nuisent, mais parce qu'ils sont méchants. Non seulement nous voulons être heureux, nous voulons aussi le bonheur d'autrui, et quand ce bonheur ne coûte rien au nôtre, il l'augmente. Enfin l'on a, malgré soi, pitié des infortunés ; quand on est témoin de leur mal, on en souffre. Les plus pervers ne sauraient perdre tout à fait ce penchant ; souvent il les met en contradiction avec eux-mêmes. Le voleur qui dépouille les passants couvre encore la nudité du pauvre ; et le plus féroce assassin soutient un homme tombant en défaillance.

On parle du cri des remords, qui punit en secret les crimes cachés et les met si souvent en évidence. Hélas ! qui de nous n'entendit jamais cette importune voix ? On parle par expérience ; et l'on voudrait étouffer ce sentiment tyrannique qui nous donne tant de tourment. Obéissons à la nature, nous connaîtrons avec quelle douceur elle règne, et quel charme on trouve, après l'avoir écoutée, à se rendre un bon témoignage de soi. Le méchant se craint et se fuit ; il s'égaye en se jetant hors de lui-même ; il tourne autour de lui des yeux inquiets, et cherche un objet qui l'amuse ; sans la satire amère, sans la raillerie insultante, il serait toujours triste ; le ris moqueur est son seul plaisir. Au contraire, la sérénité du juste est intérieure ; son ris n'est point de malignité, mais de joie ; il en porte la source en lui-même ; il est aussi gai seul qu'au milieu d'un cercle ; il ne tire pas son contentement de ceux qui l'approchent, il le leur communique[80].

Jetez les yeux sur toutes les nations du monde, parcourez toutes les histoires. Parmi tant de cultes inhumains et bizarres, parmi cette prodigieuse diversité de mœurs et de caractères, vous trouverez partout les mêmes idées de justice et d'honnêteté, partout les mêmes notions de bien et de mal. L'ancien paganisme enfanta des dieux abominables, qu'on eût punis ici-bas comme des scélérats et qui n'offraient pour tableau du bonheur suprême que des forfaits à commettre et des passions à contenter. Mais le vice, armé d'une autorité sacrée, descendait en vain du séjour éternel, l'instinct moral le repoussait du cœur des humains. En célébrant les débauches de Jupiter, on admirait la continence de Xénocrate; la chaste Lucrèce adorait l'impudique Vénus; l'intrépide Romain sacrifiait à la Peur; il invoquait le dieu qui mutila son père et mourait sans murmure de la main du sien. Les plus méprisables divinités furent servies par les plus grands hommes. La sainte voix de la nature, plus forte que celle des dieux, se faisait respecter sur la terre, et semblait reléguer dans le ciel le crime avec les coupables.

Il est donc au fond des âmes un principe inné de justice et de vertu, sur lequel, malgré nos propres maximes, nous jugeons nos actions et celles d'autrui comme bonnes ou mauvaises, et c'est à ce principe que je donne le nom de conscience[81].

Mais à ce mot j'entends s'élever de toutes parts la clameur des prétendus sages : Erreurs de l'enfance, préjugés de l'éducation! s'écrient-ils tous de concert. Il n'y a rien dans l'esprit humain que ce qui s'y introduit par l'expérience, et nous ne jugeons d'aucune chose que sur des idées acquises. Ils font plus : cet accord évident et universel de toutes les nations, ils l'osent rejeter; et, contre l'éclatante uniformité du jugement des hommes, ils vont chercher dans les ténèbres quelque exemple obscur et connu d'eux seuls; comme si tous les penchants de la nature étaient anéantis par la dépravation d'un peuple, et que, sitôt qu'il est des monstres, l'espèce ne fût plus rien. Mais que servent au sceptique Montaigne les tourments qu'il se donne pour déterrer en un coin du monde une coutume opposée aux notions de la justice ? Que lui sert de donner aux plus suspects voyageurs l'autorité qu'il refuse aux écrivains les plus célèbres ? Quelques usages incertains et bizarres fondés sur des causes locales qui nous sont inconnues détruiront-ils l'induction générale tirée du concours de tous les peuples, opposés en tout le reste, et d'accord sur ce seul point ? Ô Montaigne ! toi qui te piques de franchise et de vérité, sois sincère et vrai, si un philosophe peut l'être, et dis-moi s'il est quelque pays sur la terre où ce soit un crime de garder sa foi, d'être clément, bienfaisant, généreux ; où l'homme de bien soit méprisable, et le perfide honoré.

Chacun, dit-on, concourt au bien public pour son intérêt[82]. Mais d'où vient donc que le juste y concourt à son préjudice ? Qu'est-ce qu'aller à la mort pour son intérêt ? Sans doute nul n'agit que pour son bien ; mais s'il est un bien moral dont il faut tenir compte, on n'expliquera jamais par l'intérêt propre que les actions des méchants. Il est même à croire qu'on ne tentera point d'aller plus loin. Ce serait une trop abominable philosophie que celle où l'on serait embarrassé des actions vertueuses ; où l'on ne pourrait se tirer d'affaire qu'en leur controuvant des intentions basses et des motifs sans vertu ; où l'on serait forcé d'avilir Socrate et de calomnier Régulus. Si jamais de pareilles doctrines pouvaient germer parmi nous, la voix de la nature, ainsi que celle de la raison, s'élèveraient incessamment contre elles, et ne laisseraient jamais à un seul de leurs partisans l'excuse de l'être de bonne foi.

Mon dessein n'est pas d'entrer ici dans des discussions métaphysiques qui passent ma portée et la vôtre, et qui, dans le fond, ne mènent à rien. Je vous ai déjà dit que je ne voulais pas philosopher avec vous, mais vous aider à consulter votre cœur. Quand tous les philosophes prouveraient que j'ai tort, si vous sentez que j'ai raison, je n'en veux pas davantage.

Il ne faut pour cela que vous faire distinguer nos idées acquises de nos sentiments naturels[83] ; car nous sentons avant de connaître; et comme nous n'apprenons point à vouloir notre bien et à fuir notre mal, mais que nous tenons cette volonté de la nature, de même l'amour du bon et la haine du mauvais nous sont aussi naturels que l'amour de nous-mêmes. Les actes de la conscience ne sont pas des jugements, mais des sentiments. Quoique toutes nos idées nous viennent du dehors, les sentiments qui les apprécient sont au-dedans de nous, et c'est par eux seuls que nous connaissons la convenance ou disconvenance qui existe entre nous et les choses que nous devons respecter ou fuir.

Exister pour nous, c'est sentir; notre sensibilité est incontestablement antérieure à notre intelligence, et nous avons eu des sentiments avant des idées*. Quelle que soit la cause de notre être, elle a pourvu à notre conservation en nous donnant des sentiments convenables à notre nature; et l'on ne saurait nier qu'au moins ceux-là ne soient innés. Ces sentiments, quant à l'individu, sont l'amour de soi, la crainte de la douleur, l'horreur de la mort, le désir du bien-être. Mais si, comme on n'en peut douter, l'homme est sociable par sa nature, ou du moins fait pour le devenir, il ne peut l'être que par d'autres sentiments innés, relatifs à son espèce; car, à ne considérer que le besoin physique, il doit certainement disperser les hommes au lieu de les rapprocher. Or c'est du système moral formé par ce double rapport à soi-même et à ses semblables que naît l'impulsion de la conscience.

* À certains égards les idées sont des sentiments et les sentiments sont des idées. Les deux noms conviennent à toute perception qui nous occupe et de son objet, et de nous-mêmes qui en sommes affectés : il n'y a que l'ordre de cette affection qui détermine le nom qui lui convient. Lorsque, premièrement occupé de l'objet, nous ne pensons à nous que par réflexion, c'est une idée; au contraire, quand l'impression reçue excite notre première attention, et que nous ne pensons que par réflexion à l'objet qui la cause, c'est un sentiment.

Connaître le bien, ce n'est pas l'aimer : l'homme n'en a pas la connaissance innée, mais sitôt que sa raison le lui fait connaître, sa conscience le porte à l'aimer : c'est ce sentiment qui est inné.

Je ne crois donc pas, mon ami, qu'il soit impossible d'expliquer par des conséquences de notre nature le principe immédiat de la conscience, indépendant de la raison même. Et quand cela serait impossible, encore ne serait-il pas nécessaire : car, puisque ceux qui nient ce principe admis et reconnu par tout le genre humain ne prouvent point qu'il n'existe pas, mais se contentent de l'affirmer; quand nous affirmons qu'il existe, nous sommes tout aussi bien fondés qu'eux, et nous avons de plus le témoignage intérieur, et la voix de la conscience qui dépose pour elle-même. Si les premières lueurs du jugement nous éblouissent et confondent d'abord les objets à nos regards, attendons que nos faibles yeux se rouvrent, se raffermissent; et bientôt nous reverrons ces mêmes objets aux lumières de la raison, tels que nous les montrait d'abord la nature : ou plutôt soyons plus simples et moins vains; bornons-nous aux premiers sentiments que nous trouvons en nous-mêmes, puisque c'est toujours à eux que l'étude nous ramène quand elle ne nous a point égarés.

Conscience! conscience! instinct divin, immortelle et céleste voix; guide assuré d'un être ignorant et borné, mais intelligent et libre; juge infaillible du bien et du mal, qui rends l'homme semblable à Dieu, c'est toi qui fais l'excellence de sa nature et la moralité de ses actions; sans toi je ne sens rien en moi qui m'élève au-dessus des bêtes, que le triste privilège de m'égarer d'erreurs en erreurs à l'aide d'un entendement sans règle et d'une raison sans principe[84].

Grâce au ciel, nous voilà délivrés de tout cet effrayant appareil de philosophie : nous pouvons être hommes sans être savants; dispensés de consumer notre vie à l'étude de la morale, nous avons à moindres frais un guide plus assuré dans ce dédale immense des opinions humaines. Mais ce n'est pas assez que ce guide existe, il faut savoir le reconnaître et le suivre. S'il parle à tous les cœurs, pourquoi donc y en a-t-il si peu qui l'entendent ? Eh ! c'est qu'il nous parle la langue de la nature, que tout nous a fait oublier. La conscience est timide, elle aime la retraite et la paix ; le monde et le bruit l'épouvantent : les préjugés dont on la fait naître sont ses plus cruels ennemis ; elle fuit ou se tait devant eux : leur voix bruyante étouffe la sienne et l'empêche de se faire entendre ; le fanatisme ose la contrefaire, et dicter le crime en son nom. Elle se rebute enfin à force d'être éconduite ; elle ne nous parle plus, elle ne nous répond plus, et, après de si longs mépris pour elle, il en coûte autant de la rappeler qu'il en coûta de la bannir[85].

Combien de fois je me suis lassé dans mes recherches de la froideur que je sentais en moi ! Combien de fois la tristesse et l'ennui, versant leur poison sur mes premières méditations, me les rendirent insupportables ? Mon cœur aride ne donnait qu'un zèle languissant et tiède à l'amour de la vérité. Je me disais : Pourquoi me tourmenter à chercher ce qui n'est pas ? Le bien moral n'est qu'une chimère ; il n'y a rien de bon que les plaisirs des sens. Ô quand on a une fois perdu le goût des plaisirs de l'âme, qu'il est difficile de le reprendre ! Qu'il est plus difficile encore de le prendre quand on ne l'a jamais eu ! S'il existait un homme assez misérable pour n'avoir rien fait en toute sa vie dont le souvenir le rendît content de lui-même et bien aise d'avoir vécu, cet homme serait incapable de jamais se connaître ; et, faute de sentir quelle bonté convient à sa nature, il resterait méchant par force et serait éternellement malheureux. Mais croyez-vous qu'il y ait sur la terre entière un seul homme assez dépravé pour n'avoir jamais livré son cœur à la tentation de bien faire ? Cette tentation est si naturelle et si douce qu'il est impossible de lui résister toujours ; et le souvenir du plaisir qu'elle a produit une fois suffit pour la rappeler sans cesse. Malheureusement elle est d'abord pénible à satisfaire ; on a mille raisons pour se refuser au penchant de son cœur ; la fausse prudence le resserre dans les bornes du *moi* humain ; il faut mille efforts de courage pour oser les franchir. Se plaire à bien faire est le prix d'avoir bien fait, et ce prix ne s'obtient qu'après l'avoir mérité. Rien n'est plus aimable que la vertu ; mais il en faut jouir pour la trouver telle[86]. Quand on la veut embrasser semblable au Protée de la fable, elle prend d'abord mille formes effrayantes, et ne se montre enfin sous la sienne qu'à ceux qui n'ont point lâché prise.

Combattu sans cesse par mes sentiments naturels qui parlaient pour l'intérêt commun, et par ma raison qui rapportait tout à moi, j'aurais flotté toute ma vie dans cette continuelle alternative, faisant le mal, aimant le bien, et toujours contraire à moi-même, si de nouvelles lumières n'eussent éclairé mon cœur, si la vérité, qui fixa mes opinions, n'eût encore assuré ma conduite et ne m'eût mis d'accord avec moi. On a beau vouloir établir la vertu par la raison seule, quelle solide base peut-on lui donner ? La vertu, disent-ils, est l'amour de l'ordre[87]. Mais cet amour peut-il donc et doit-il l'emporter en moi sur celui de mon bien-être ? Qu'ils me donnent une raison claire et suffisante pour le préférer. Dans le fond leur prétendu principe est un pur jeu de mots ; car je dis aussi, moi, que le vice est l'amour de l'ordre, pris dans un sens différent. Il y a quelque ordre moral partout où il y a sentiment et intelligence. La différence est que le bon s'ordonne par rapport au tout, et que le méchant ordonne le tout par rapport à lui. Celui-ci se fait le centre de toutes choses ; l'autre mesure son rayon et se tient à la circonférence. Alors il est ordonné par rapport au centre commun, qui est Dieu, et par rapport à tous les cercles concentriques, qui sont les créatures. Si la Divinité n'est pas, il n'y a que le méchant qui raisonne, le bon n'est qu'un insensé.

Ô mon enfant, puissiez-vous sentir un jour de quel poids on est soulagé, quand, après avoir épuisé la vanité des opinions humaines et goûté l'amertume des passions, on trouve enfin si près de soi la route de la sagesse, le prix des travaux de cette vie et la source du bonheur dont on a désespéré[88] ! Tous les devoirs de la loi naturelle, presque effacés de mon cœur par l'injustice des hommes, s'y retracent au nom de l'éternelle justice qui me les impose et qui me les voit remplir. Je ne sens plus en moi que l'ouvrage et l'instrument du grand Être qui veut le bien, qui le fait, qui fera le mien par le concours de mes volontés aux siennes et par le bon usage de ma liberté : j'acquiesce à l'ordre qu'il établit, sûr de jouir moi-même un jour de cet ordre et d'y trouver ma félicité ; car quelle félicité plus douce que de se sentir ordonné dans un système où tout est bien ? En proie à la douleur, je la supporte avec patience, en songeant qu'elle est passagère et qu'elle vient d'un corps qui n'est point à moi. Si je fais une bonne action sans témoin, je sais qu'elle est vue, et je prends acte pour l'autre vie de ma conduite en celle-ci. En souffrant une injustice, je me dis : l'Être juste qui régit tout saura bien m'en dédommager, les besoins de mon corps, les misères de ma vie me rendent l'idée de la mort plus supportable. Ce seront autant de liens de moins à rompre quand il faudra tout quitter.

Pourquoi mon âme est-elle soumise à mes sens et enchaînée à ce corps qui l'asservit et la gêne[89] ? Je n'en sais rien : suis-je entré dans les décrets de Dieu ? Mais je puis, sans témérité, former de modestes conjectures. Je me dis : Si l'esprit de l'homme fût resté libre et pur, quel mérite aurait-il d'aimer et suivre l'ordre qu'il verrait établi et qu'il n'aurait nul intérêt à troubler ? Il serait heureux, il est vrai ; mais il manquerait à son bonheur le degré le plus sublime, la gloire de la vertu et le bon témoignage de soi ; il ne serait que comme les anges ; et sans doute l'homme vertueux sera plus qu'eux. Unie à un corps mortel par des liens non moins puissants qu'incompréhensibles, le soin de la conservation de ce corps excite l'âme à rapporter tout à lui, et lui donne un intérêt contraire à l'ordre général, qu'elle est pourtant capable de voir et d'aimer ; c'est alors que le bon usage de sa liberté devient à la fois le mérite et la récompense, et qu'elle se prépare un bonheur inaltérable en combattant ses passions terrestres et se maintenant dans sa première volonté.

Que si, même dans l'état d'abaissement où nous sommes durant cette vie, tous nos premiers penchants sont légitimes ; si tous nos vices nous viennent de nous, pourquoi nous plaignons-nous d'être subjugués par eux ? pourquoi reprochons-nous à l'auteur des choses les maux que nous nous faisons et les ennemis que nous armons contre nous-mêmes ? Ah ! ne gâtons point l'homme ; il sera toujours bon sans peine, et toujours heureux sans remords. Les coupables qui se disent forcés au crime sont aussi menteurs que méchants : comment ne voient-ils point que la faiblesse dont ils se plaignent est leur propre ouvrage ; que leur première dépravation vient de leur volonté ; qu'à force de vouloir céder à leurs tentations, ils leur cèdent enfin malgré eux et les rendent irrésistibles ? Sans doute il ne dépend plus d'eux de n'être pas méchants et faibles, mais il dépendit d'eux de ne le pas devenir[90]. Ô que nous resterions aisément maîtres de nous et de nos passions, même durant cette vie, si, lorsque nos habitudes ne sont point encore acquises, lorsque notre esprit commence à s'ouvrir, nous savions l'occuper des objets qu'il doit connaître pour apprécier ceux qu'il ne connaît pas ; si nous voulions sincèrement nous éclairer, non pour briller aux yeux des autres, mais pour être bons et sages selon notre nature, pour nous rendre heureux en pratiquant nos devoirs ! Cette étude nous paraît ennuyeuse et pénible, parce que nous n'y songeons que déjà corrompus par le vice, déjà livrés à nos passions. Nous fixons nos jugements et notre estime avant de connaître le bien et le mal ; et puis, rapportant tout à cette fausse mesure, nous ne donnons à rien sa juste valeur.

Il est un âge où le cœur, libre encore, mais ardent, inquiet, avide du bonheur qu'il ne connaît pas, le cherche avec une curieuse incertitude, et, trompé par les sens, se fixe enfin sur sa vaine image, et croit le trouver où il n'est point. Ces illusions ont duré trop longtemps pour moi. Hélas! je les ai trop tard connues, et n'ai pu tout à fait les détruire : elles dureront autant que ce corps mortel qui les cause. Au moins elles ont beau me séduire, elles ne m'abusent pas; je les connais pour ce qu'elles sont; en les suivant je les méprise; loin d'y voir l'objet de mon bonheur, j'y vois son obstacle. J'aspire au moment où, délivré des entraves du corps, je serai *moi* sans contradiction, sans partage, et n'aurai besoin que de moi pour être heureux; en attendant, je le suis dès cette vie, parce que j'en compte pour peu tous les maux, que je la regarde comme presque étrangère à mon être, et que tout le vrai bien que j'en peux retirer dépend de moi[91].

Pour m'élever d'avance autant qu'il se peut à cet état de bonheur, de force et de liberté, je m'exerce aux sublimes contemplations. Je médite sur l'ordre de l'univers, non pour l'expliquer par de vains systèmes, mais pour l'admirer sans cesse, pour adorer le sage auteur qui s'y fait sentir. Je converse avec lui, je pénètre toutes mes facultés de sa divine essence; je m'attendris à ses bienfaits, je le bénis de ses dons; mais je ne le prie pas. Que lui demanderais-je? qu'il changeât pour moi le cours des choses, qu'il fît des miracles en ma faveur? Moi qui dois aimer par-dessus tout l'ordre établi par sa sagesse et maintenu par sa providence, voudrais-je que cet ordre fût troublé pour moi? Non, ce vœu téméraire mériterait d'être plutôt puni qu'exaucé. Je ne lui demande pas non plus le pouvoir de bien faire : pourquoi lui demander ce qu'il m'a donné? Ne m'a-t-il pas donné la conscience pour aimer le bien, la raison pour le connaître, la liberté pour le choisir? Si je fais le mal, je n'ai point d'excuse; je le fais parce que je le veux : lui demander de changer ma volonté, c'est lui demander ce qu'il me demande; c'est vouloir qu'il fasse mon œuvre et que j'en recueille le salaire; n'être pas content de mon état, c'est ne vouloir plus être homme, c'est vouloir autre chose que ce qui est, c'est vouloir le désordre et le mal. Source de justice et de vérité, Dieu clément et bon! dans ma confiance en toi, le suprême vœu de mon cœur est que ta volonté soit faite. En y joignant la mienne, je fais ce que tu fais, j'acquiesce à ta bonté; je crois partager d'avance la suprême félicité qui en est le prix[92].

Dans la juste défiance de moi-même, la seule chose que je lui demande, ou plutôt que j'attends de sa justice, est de redresser mon erreur si je m'égare et si cette erreur m'est dangereuse. Pour être de bonne foi je ne me crois pas infaillible : mes opinions qui me semblent les plus vraies sont peut-être autant de mensonges; car quel homme ne tient pas aux siennes? et combien d'hommes sont d'accord en tout? L'illusion qui m'abuse a beau me venir de moi, c'est lui seul qui m'en peut guérir. J'ai fait ce que j'ai pu pour atteindre à la vérité; mais sa source est trop élevée : quand les forces me manquent pour aller plus loin, de quoi puis-je être coupable? c'est à elle à s'approcher.

Le bon prêtre avait parlé avec véhémence; il était ému, je l'étais aussi[93]. Je croyais entendre le divin Orphée chanter les premiers hymnes, et apprendre aux hommes le culte des dieux. Cependant je voyais des foules d'objections à lui faire : je n'en fis pas une, parce qu'elles étaient moins solides qu'embarrassantes, et que la persuasion était pour lui. À mesure qu'il me parlait selon sa conscience, la mienne semblait me confirmer ce qu'il m'avait dit.

Les sentiments que vous venez de m'exposer, lui dis-je, me paraissent plus nouveaux par ce que vous avouez ignorer que par ce que vous dites croire. J'y vois, à peu de chose près, le théisme ou la religion naturelle[94], que les chrétiens affectent de confondre avec l'athéisme ou l'irréligion, qui est la doctrine directement opposée. Mais, dans l'état actuel de ma foi, j'ai plus à remonter qu'à descendre pour adopter vos opinions, et je trouve difficile de rester précisément au point où vous êtes, à moins d'être aussi sage que vous. Pour être au moins aussi sincère, je veux consulter avec moi. C'est le sentiment intérieur qui doit me conduire à votre exemple; et vous m'avez appris vous-même qu'après lui avoir longtemps imposé silence, le rappeler n'est pas l'affaire d'un moment. J'emporte vos discours dans mon cœur, il faut que je les médite. Si, après m'être bien consulté, j'en demeure aussi convaincu que vous, vous serez mon dernier apôtre, et je serai votre prosélyte jusqu'à la mort. Continuez cependant à m'instruire, vous ne m'avez dit que la moitié de ce que je dois savoir. Parlez-moi de la révélation, des écritures, de ces dogmes obscurs sur lesquels je vais errant dès mon enfance, sans pouvoir les concevoir ni les croire, et sans savoir ni les admettre ni les rejeter.

Oui, mon enfant, dit-il en m'embrassant, j'achèverai de vous dire ce que je pense; je ne veux point vous ouvrir mon cœur à demi : mais le désir que vous me témoignez était nécessaire pour m'autoriser à n'avoir aucune réserve avec vous. Je ne vous ai rien dit jusqu'ici que je ne crusse pouvoir vous être utile et dont je ne fusse intimement persuadé. L'examen qui me reste à faire est bien différent; je n'y vois qu'embarras, mystère, obscurité; je n'y porte qu'incertitude et défiance. Je ne me détermine qu'en tremblant et je vous dis plutôt mes doutes que mon avis. Si vos sentiments étaient plus stables, j'hésiterais de vous exposer les miens; mais, dans l'état où vous êtes, vous gagnerez à penser comme moi* [95]. Au reste, ne donnez à mes discours que l'autorité de la raison; j'ignore si je suis dans l'erreur. Il est difficile, quand on discute, de ne pas prendre quelquefois le ton affirmatif; mais souvenez-vous qu'ici toutes mes affirmations ne sont que des raisons de douter. Cherchez la vérité vous-même : pour moi, je ne vous promets que de la bonne foi.

Vous ne voyez dans mon exposé que la religion naturelle : il est bien étrange qu'il en faille une autre [96]. Par où connaîtrai-je cette nécessité? De quoi puis-je être coupable en servant Dieu selon les lumières qu'il donne à mon esprit et selon les sentiments qu'il ins-

* Voilà, je crois, ce que le bon vicaire pourrait dire à présent au public.

pire à mon cœur? Quelle pureté de morale, quel dogme utile à l'homme et honorable à son auteur puis-je tirer d'une doctrine positive, que je ne puisse tirer sans elle du bon usage de mes facultés? Montrez-moi ce qu'on peut ajouter, pour la gloire de Dieu, pour le bien de la société, et pour mon propre avantage, aux devoirs de la loi naturelle, et quelle vertu vous ferez naître d'un nouveau culte, qui ne soit pas une conséquence du mien. Les plus grandes idées de la Divinité nous viennent par la raison seule. Voyez le spectacle de la nature, écoutez la voix intérieure. Dieu n'a-t-il pas tout dit à nos yeux, à notre conscience, à notre jugement? Qu'est-ce que les hommes nous diront de plus? Leurs révélations ne font que dégrader Dieu, en lui donnant les passions humaines. Loin d'éclaircir les notions du grand Être, je vois que les dogmes particuliers les embrouillent; que loin de les ennoblir, ils les avilissent; qu'aux mystères inconcevables qui l'environnent ils ajoutent des contradictions absurdes; qu'ils rendent l'homme orgueilleux, intolérant, cruel; qu'au lieu d'établir la paix sur la terre, ils y portent le fer et le feu. Je me demande à quoi bon tout cela sans savoir me répondre. Je n'y vois que les crimes des hommes et les misères du genre humain.

On me dit qu'il fallait une révélation pour apprendre aux hommes la manière dont Dieu voulait être servi; on assigne en preuve la diversité des cultes bizarres qu'ils ont institués, et l'on ne voit pas que cette diversité même vient de la fantaisie des révélations. Dès que les peuples se sont avisés de faire parler Dieu, chacun l'a fait parler à sa mode et lui a fait dire ce qu'il a voulu. Si l'on n'eût écouté que ce que Dieu dit au cœur de l'homme, il n'y aurait jamais eu qu'une religion sur la terre[97].

Il fallait un culte uniforme; je le veux bien : mais ce point était-il donc si important qu'il fallût tout l'appareil de la puissance divine pour l'établir? Ne confondons point le cérémonial de la religion avec la religion[98]. Le culte que Dieu demande est celui du cœur; et celui-là, quand il est sincère, est toujours uniforme.

C'est avoir une vanité bien folle de s'imaginer que Dieu prenne un si grand intérêt à la forme de l'habit du prêtre, à l'ordre des mots qu'il prononce, aux gestes qu'il fait à l'autel, et à toutes ses génuflexions. Eh! mon ami, reste de toute ta hauteur, tu seras toujours assez près de terre. Dieu veut être adoré en esprit et en vérité : ce devoir est de toutes les religions, de tous les pays, de tous les hommes. Quant au culte extérieur, s'il doit être uniforme pour le bon ordre, c'est purement une affaire de police; il ne faut point de révélation pour cela.

Je ne commençai pas par toutes ces réflexions. Entraîné par les préjugés de l'éducation et par ce dangereux amour-propre qui veut toujours porter l'homme au-dessus de sa sphère, ne pouvant élever mes faibles conceptions jusqu'au grand Être, je m'efforçais de le rabaisser jusqu'à moi[99]. Je rapprochais les rapports infiniment éloignés qu'il a mis entre sa nature et la mienne. Je voulais des communications plus immédiates, des instructions plus particulières; et, non content de faire Dieu semblable à l'homme, pour être privilégié moi-même parmi mes semblables, je voulais des lumières surnaturelles; je voulais un culte exclusif; je voulais que Dieu m'eût dit ce qu'il n'avait pas dit à d'autres, ou ce que d'autres n'auraient pas entendu comme moi.

Regardant le point où j'étais parvenu comme le point commun d'où partaient tous les croyants pour arriver à un culte plus éclairé, je ne trouvais dans les dogmes de la religion naturelle que les éléments de toute religion. Je considérais cette diversité de sectes qui règnent sur la terre et qui s'accusent mutuellement de mensonge et d'erreur; je demandais : *Quelle est la bonne?* Chacun me répondait : C'est la mienne; chacun disait : Moi seul et mes partisans pensons juste; tous les autres sont dans l'erreur. *Et comment savez-vous que votre secte est la bonne?* Parce que Dieu l'a dit*. Et qui vous dit que Dieu l'a dit? Mon pasteur,

* « Tous, dit un bon et sage prêtre, disent qu'ils la tiennent et la croient (et tous usent de ce jargon), que non des hommes, ni d'aucune créature, mais de Dieu.

qui le sait bien. Mon pasteur me dit d'ainsi croire, et ainsi je crois : il m'assure que tous ceux qui disent autrement que lui mentent, et je ne les écoute pas[100].

Quoi! pensais-je, la vérité n'est-elle pas une? et ce qui est vrai chez moi peut-il être faux chez vous? Si la méthode de celui qui suit la bonne route et celle de celui qui s'égare est la même, quel mérite ou quel tort a l'un de plus que l'autre? Leur choix est l'effet du hasard; le leur imputer est iniquité, c'est récompenser ou punir pour être né dans tel ou tel pays. Oser dire que Dieu nous juge ainsi, c'est outrager sa justice.

Ou toutes les religions sont bonnes et agréables à Dieu, ou, s'il en est une qu'il prescrive aux hommes, et qu'il les punisse de méconnaître, il lui a donné des signes certains et manifestes pour être distinguée et connue pour la seule véritable. Ces signes sont de tous les temps et de tous les lieux, également sensibles à tous les hommes, grands et petits, savants et ignorants, Européens, Indiens, Africains, Sauvages. S'il était une religion sur la terre hors de laquelle il n'y eût que peine éternelle, et qu'en quelque lieu du monde un seul mortel de bonne foi n'eût pas été frappé de son évidence, le Dieu de cette religion serait le plus inique et le plus cruel des tyrans[101].

Cherchons-nous donc sincèrement la vérité? Ne donnons rien au droit de la naissance et à l'autorité

« Mais, à dire vrai, sans rien flatter ni déguiser, il n'en est rien; elles sont, quoi qu'on dise, tenues par mains et moyens humains; témoin premièrement la manière que les religions ont été reçues au monde et sont encore tous les jours par les particuliers : la nation, le pays, le lieu donne la religion : l'on est de celle que le lieu auquel on est né et élevé tient : nous sommes circoncis, baptisés, juifs, mahométans, chrétiens, avant que nous sachions que nous sommes hommes : la religion n'est pas de notre choix et élection; témoin, après, la vie et les mœurs si mal accordantes avec la religion; témoin que par occasions humaines et bien légères, l'on va contre la teneur de sa religion. » CHARRON, *De la sagesse*, liv. II, chap. v, p. 257, édit. Bordeaux, 1601.

Il y a grande apparence que la sincère profession de foi du vertueux théologal de Condom n'eût pas été fort différente de celle du vicaire savoyard.

des pères et des pasteurs, mais rappelons à l'examen de la conscience et de la raison tout ce qu'ils nous ont appris dès notre enfance. Ils ont beau me crier : Soumets ta raison; autant m'en peut dire celui qui me trompe : il me faut des raisons pour soumettre ma raison[102].

Toute la théologie que je puis acquérir de moi-même par l'inspection de l'univers, et par le bon usage de mes facultés, se borne à ce que je vous ai ci-devant expliqué. Pour en savoir davantage, il faut recourir à des moyens extraordinaires. Ces moyens ne sauraient être l'autorité des hommes; car, nul homme n'étant d'une autre espèce que moi, tout ce qu'un homme connaît naturellement, je puis aussi le connaître, et un autre homme peut se tromper aussi bien que moi : quand je crois ce qu'il dit, ce n'est pas parce qu'il le dit, mais parce qu'il le prouve. Le témoignage des hommes n'est donc au fond que celui de ma raison même, et n'ajoute rien aux moyens naturels que Dieu m'a donnés de connaître la vérité.

Apôtre de la vérité, qu'avez-vous donc à me dire dont je ne reste pas le juge? Dieu lui-même a parlé : écoutez sa révélation. C'est autre chose. Dieu a parlé! voilà certes un grand mot. Et à qui a-t-il parlé? Il a parlé aux hommes. Pourquoi donc n'en ai-je rien entendu? Il a chargé d'autres hommes de vous rendre sa parole. J'entends! ce sont des hommes qui vont me dire ce que Dieu a dit. J'aimerais mieux avoir entendu Dieu lui-même; il ne lui en aurait pas coûté davantage, et j'aurais été à l'abri de la séduction. Il vous en garantit en manifestant la mission de ses envoyés. Comment cela? Par des prodiges. Et où sont ces prodiges? Dans les livres. Et qui a fait ces livres? Des hommes. Et qui a vu ces prodiges? Des hommes qui les attestent. Quoi! toujours des témoignages humains! toujours des hommes qui me rapportent ce que d'autres hommes ont rapporté! que d'hommes entre Dieu et moi! Voyons toutefois, examinons, comparons, vérifions. Ô si Dieu eût daigné me dispenser de tout ce travail, l'en aurais-je servi de moins bon cœur[103]?

Considérez, mon ami, dans quelle horrible discussion me voilà engagé ; de quelle immense érudition j'ai besoin pour remonter dans les plus hautes antiquités, pour examiner, peser, confronter les prophéties, les révélations, les faits, tous les monuments de foi proposés dans tous les pays du monde, pour en assigner les temps, les lieux, les auteurs, les occasions ! Quelle justesse de critique m'est nécessaire pour distinguer les pièces authentiques des pièces supposées ; pour comparer les objections aux réponses, les traductions aux originaux ; pour juger de l'impartialité des témoins, de leur bon sens, de leurs lumières ; pour savoir si l'on n'a rien supprimé, rien ajouté, rien transposé, changé, falsifié ; pour lever les contradictions qui restent, pour juger quel poids doit avoir le silence des adversaires dans les faits allégués contre eux ; si ces allégations leur ont été connues ; s'ils en ont fait assez de cas pour daigner y répondre ; si les livres étaient assez communs pour que les nôtres leur parvinssent ; si nous avons été d'assez bonne foi pour donner cours aux leurs parmi nous, et pour y laisser leurs plus fortes objections telles qu'ils les avaient faites.

Tous ces monuments reconnus pour incontestables, il faut passer ensuite aux preuves de la mission de leurs auteurs ; il faut bien savoir les lois des sorts, les probabilités éventives, pour juger quelle prédiction ne peut s'accomplir sans miracle ; le génie des langues originales pour distinguer ce qui est prédiction dans ces langues et ce qui n'est que figure oratoire ; quels faits sont dans l'ordre de la nature, et quels autres faits n'y sont pas ; pour dire jusqu'à quel point un homme adroit peut fasciner les yeux des simples, peut étonner même les gens éclairés ; chercher de quelle espèce doit être un prodige, et quelle authenticité il doit avoir, non seulement pour être cru, mais pour qu'on soit punissable d'en douter ; comparer les preuves des vrais et des faux prodiges, et trouver les règles sûres pour les discerner ; dire enfin pourquoi Dieu choisit, pour attester sa parole, des moyens qui ont eux-mêmes si grand besoin d'attestation, comme s'il se jouait de la crédulité des hommes, et qu'il évitât à dessein les vrais moyens de les persuader[104].

Supposons que la majesté divine daigne s'abaisser assez pour rendre un homme l'organe de ses volontés sacrées; est-il raisonnable, est-il juste d'exiger que tout le genre humain obéisse à la voix de ce ministre sans le lui faire connaître pour tel? Y a-t-il de l'équité à ne lui donner, pour toutes lettres de créance, que quelques signes particuliers faits devant peu de gens obscurs, et dont tout le reste des hommes ne saura jamais rien que par ouï-dire? Par tous les pays du monde, si l'on tenait pour vrais tous les prodiges que le peuple et les simples disent avoir vus, chaque secte serait la bonne; il y aurait plus de prodiges que d'événements naturels; et le plus grand de tous les miracles serait que là où il y a des fanatiques persécutés, il n'y eût point de miracles. C'est l'ordre inaltérable de la nature qui montre le mieux la sage main qui la régit; s'il arrivait beaucoup d'exceptions, je ne saurais plus qu'en penser; et pour moi, je crois trop en Dieu pour croire à tant de miracles si peu dignes de lui.

Qu'un homme vienne nous tenir ce langage : Mortels, je vous annonce la volonté du Très-Haut; reconnaissez à ma voix celui qui m'envoie; j'ordonne au soleil de changer sa course, aux étoiles de former un autre arrangement, aux montagnes de s'aplanir, aux flots de s'élever, à la terre de prendre un autre aspect. À ces merveilles, qui ne reconnaîtra pas à l'instant le maître de la nature! Elle n'obéit point aux imposteurs; leurs miracles se font dans des carrefours, dans des déserts, dans des chambres; et c'est là qu'ils ont bon marché d'un petit nombre de spectateurs déjà disposés à tout croire. Qui est-ce qui m'osera dire combien il faut de témoins oculaires pour rendre un prodige digne de foi? Si vos miracles, faits pour prouver votre doctrine, ont eux-mêmes besoin d'être prouvés, de quoi servent-ils? autant valait n'en point faire.

Reste enfin l'examen le plus important dans la doctrine annoncée; car, puisque ceux qui disent que Dieu fait ici-bas des miracles prétendent que le diable les imite quelquefois, avec les prodiges les mieux attestés, nous ne sommes pas plus avancés qu'auparavant; et puisque les magiciens de Pharaon osaient, en présence même de Moïse, faire les mêmes signes qu'il faisait par l'ordre exprès de Dieu, pourquoi, dans son absence, n'eussent-ils pas, aux mêmes titres, prétendu la même autorité? Ainsi donc, après avoir prouvé la doctrine par le miracle, il faut prouver le miracle par la doctrine*, de peur de prendre l'œuvre du démon pour l'œuvre de Dieu. Que pensez-vous de ce diallèle[105]?

Cette doctrine, venant de Dieu, doit porter le sacré caractère de la Divinité; non seulement elle doit nous éclaircir les idées confuses que le raisonnement en trace dans notre esprit, mais elle doit aussi nous proposer un culte, une morale et des maximes convenables aux attributs par lesquels seuls nous concevons son essence. Si donc elle ne nous apprenait que des choses absurdes et sans raison, si elle ne nous inspirait que des sentiments d'aversion pour nos semblables et de frayeur pour nous-mêmes, si elle ne nous peignait qu'un Dieu colère, jaloux, vengeur, partial, haïssant

* Cela est formel en mille endroits de l'Écriture, et entre autres dans le Deutéronome, chapitre XIII, où il est dit que, si un prophète annonçant des dieux étrangers confirme ses discours par des prodiges, et que ce qu'il prédit arrive, loin d'y avoir aucun égard, on doit mettre ce prophète à mort. Quand donc les païens mettaient à mort les apôtres leur annonçant un dieu étranger, et prouvant leur mission par des prédictions et des miracles, je ne vois pas ce qu'on avait à leur objecter de solide, qu'ils ne pussent à l'instant rétorquer contre nous. Or, que faire en pareil cas? une seule chose : revenir au raisonnement, et laisser là les miracles. Mieux eût valu n'y pas recourir. C'est là du bon sens le plus simple, qu'on n'obscurcit qu'à force de distinctions tout au moins très subtiles. Des subtilités dans le christianisme! Mais Jésus-Christ a donc eu tort de promettre le royaume des cieux aux simples; il a donc eu tort de commencer le plus beau de ses discours par féliciter les pauvres d'esprit, s'il faut tant d'esprit pour entendre sa doctrine et pour apprendre à croire en lui. Quand vous m'aurez prouvé que je dois me soumettre, tout ira fort bien : mais pour me prouver cela, mettez-vous à ma portée; mesurez vos raisonnements à la capacité d'un pauvre d'esprit, ou je ne reconnais plus en vous le vrai disciple de votre maître, et ce n'est pas sa doctrine que vous m'annoncez.

les hommes, un Dieu de la guerre et des combats, toujours prêt à détruire et foudroyer, toujours parlant de tourments, de peines, et se vantant de punir même les innocents, mon cœur ne serait point attiré vers ce Dieu terrible, et je me garderais de quitter la religion naturelle pour embrasser celle-là; car vous voyez bien qu'il faudrait nécessairement opter. Votre Dieu n'est pas le nôtre, dirais-je à ses sectateurs. Celui qui commence par se choisir un seul peuple et proscrire le reste du genre humain n'est pas le père commun des hommes; celui qui destine au supplice éternel le plus grand nombre de ses créatures n'est pas le Dieu clément et bon que ma raison m'a montré[106].

À l'égard des dogmes, elle me dit qu'ils doivent être clairs, lumineux, frappants par leur évidence. Si la religion naturelle est insuffisante, c'est par l'obscurité qu'elle laisse dans les grandes vérités qu'elle nous enseigne : c'est à la révélation de nous enseigner ces vérités d'une manière sensible à l'esprit de l'homme, de les mettre à sa portée, de les lui faire concevoir, afin qu'il les croie. La foi s'assure et s'affermit par l'entendement; la meilleure de toutes les religions est infailliblement la plus claire : celui qui charge de mystères, de contradictions le culte qu'il me prêche m'apprend par cela même à m'en défier. Le Dieu que j'adore n'est point un Dieu de ténèbres, il ne m'a point doué d'un entendement pour m'en interdire l'usage : me dire de soumettre ma raison, c'est outrager son auteur. Le ministre de la vérité ne tyrannise point ma raison, il l'éclaire[107].

Nous avons mis à part toute autorité humaine; et, sans elle, je ne saurais voir comment un homme en peut convaincre un autre en lui prêchant une doctrine déraisonnable. Mettons un moment ces deux hommes aux prises, et cherchons ce qu'ils pourront se dire dans cette âpreté de langage ordinaire aux deux partis[108].

L'INSPIRÉ

La raison vous apprend que le tout est plus grand que sa partie ; mais moi je vous apprends, de la part de Dieu, que c'est la partie qui est plus grande que le tout[109].

LE RAISONNEUR

Et qui êtes-vous pour m'oser dire que Dieu se contredit ? et à qui croirai-je par préférence, de lui qui m'apprend par la raison les vérités éternelles, ou de vous qui m'annoncez de sa part une absurdité[110] ?

L'INSPIRÉ

À moi, car mon instruction est plus positive ; et je vais vous prouver invinciblement que c'est lui qui m'envoie.

LE RAISONNEUR

Comment ? vous me prouverez que c'est Dieu qui vous envoie déposer contre lui ? Et de quel genre seront vos preuves pour me convaincre qu'il est plus certain que Dieu me parle par votre bouche que par l'entendement qu'il m'a donné ?

L'INSPIRÉ

L'entendement qu'il vous a donné ! Homme petit et vain ! Comme si vous étiez le premier impie qui s'égare dans sa raison corrompue par le péché !

LE RAISONNEUR

Homme de Dieu, vous ne seriez pas non plus le premier fourbe qui donne son arrogance pour preuve de sa mission.

L'INSPIRÉ

Quoi ! les philosophes disent aussi des injures !

LE RAISONNEUR

Quelquefois, quand les saints leur en donnent l'exemple.

L'INSPIRÉ

Oh! moi, j'ai le droit d'en dire, je parle de la part de Dieu.

LE RAISONNEUR

Il serait bon de montrer vos titres avant d'user de vos privilèges.

L'INSPIRÉ

Mes titres sont authentiques, la terre et les cieux déposeront pour moi. Suivez bien mes raisonnements, je vous prie.

LE RAISONNEUR

Vos raisonnements! vous n'y pensez pas. M'apprendre que ma raison me trompe, n'est-ce pas réfuter ce qu'elle m'aura dit pour vous? Quiconque peut récuser la raison doit convaincre sans se servir d'elle. Car supposons qu'en raisonnant vous m'ayez convaincu; comment saurai-je si ce n'est point ma raison corrompue par le péché qui me fait acquiescer à ce que vous me dites? D'ailleurs, quelle preuve, quelle démonstration pourrez-vous jamais employer plus évidente que l'axiome qu'elle doit détruire? Il est tout aussi croyable qu'un bon syllogisme est un mensonge, qu'il l'est que la partie est plus grande que le tout.

L'INSPIRÉ

Quelle différence! Mes preuves sont sans réplique; elles sont d'un ordre surnaturel.

LE RAISONNEUR

Surnaturel! Que signifie ce mot? Je ne l'entends pas.

L'INSPIRÉ

Des changements dans l'ordre de la nature, des prophéties, des miracles, des prodiges de toute espèce.

LE RAISONNEUR

Des prodiges ! des miracles ! Je n'ai jamais rien vu de tout cela.

L'INSPIRÉ

D'autres l'ont vu pour vous. Des nuées de témoins... le témoignage des peuples...

LE RAISONNEUR

Le témoignage des peuples est-il d'un ordre surnaturel ?

L'INSPIRÉ

Non ; mais quand il est unanime, il est incontestable.

LE RAISONNEUR

Il n'y a rien de plus incontestable que les principes de la raison, et l'on ne peut autoriser une absurdité sur le témoignage des hommes. Encore une fois, voyons des preuves surnaturelles, car l'attestation du genre humain n'en est pas une. .

L'INSPIRÉ

Ô cœur endurci ! la grâce ne vous parle point.

LE RAISONNEUR

Ce n'est pas ma faute ; car, selon vous, il faut avoir déjà reçu la grâce pour savoir la demander. Commencez donc à me parler au lieu d'elle.

L'INSPIRÉ

Ah ! c'est ce que je fais, et vous ne m'écoutez pas. Mais que dites-vous des prophéties ?

LE RAISONNEUR

Je dis premièrement que je n'ai pas plus entendu de prophéties que je n'ai vu de miracles. Je dis de plus qu'aucune prophétie ne saurait faire autorité pour moi.

L'INSPIRÉ

Satellite du démon ! et pourquoi les prophéties ne font-elles pas autorité pour vous ?

LE RAISONNEUR

Parce que, pour qu'elles la fissent, il faudrait trois choses dont le concours est impossible ; savoir que j'eusse été témoin de la prophétie, que je fusse témoin de l'événement, et qu'il me fût démontré que cet événement n'a pu cadrer fortuitement avec la prophétie ; car, fût-elle plus précise, plus claire, plus lumineuse qu'un axiome de géométrie, puisque la clarté d'une prédiction faite au hasard n'en rend pas l'accomplissement impossible, cet accomplissement, quand il a lieu, ne prouve rien à la rigueur pour celui qui l'a prédit.

Voyez donc à quoi se réduisent vos prétendues preuves surnaturelles, vos miracles, vos prophéties. À croire tout cela sur la foi d'autrui, et à soumettre à l'autorité des hommes l'autorité de Dieu parlant à ma raison. Si les vérités éternelles que mon esprit conçoit pouvaient souffrir quelque atteinte, il n'y aurait plus pour moi nulle espèce de certitude ; et, loin d'être sûr que vous me parlez de la part de Dieu, je ne serais pas même assuré qu'il existe[111].

Voilà bien des difficultés, mon enfant, et ce n'est pas tout. Parmi tant de religions diverses qui se proscrivent et s'excluent mutuellement, une seule est la bonne, si tant est qu'une le soit. Pour la reconnaître, il ne suffit pas d'en examiner une, il faut les examiner toutes[112], et, dans quelque matière que ce soit, on ne doit pas condamner sans entendre* ; il faut comparer les objections aux preuves; il faut savoir ce que chacun oppose aux autres, et ce qu'il leur répond. Plus un sentiment nous paraît démontré, plus nous devons chercher sur quoi tant d'hommes se fondent pour ne pas le trouver tel. Il faudrait être bien simple pour croire qu'il suffit d'entendre les docteurs de son parti pour s'instruire des raisons du parti contraire. Où sont les théologiens qui se piquent de bonne foi? Où sont ceux qui, pour réfuter les raisons de leurs adversaires, ne commencent pas par les affaiblir? Chacun brille dans son parti : mais tel au milieu des siens est tout fier de ses preuves qui ferait un fort sot personnage avec ces mêmes preuves parmi des gens d'un autre parti. Voulez-vous vous instruire dans les livres; quelle érudition il faut acquérir! que de langues il faut apprendre! que de bibliothèques il faut feuilleter! quelle immense lecture il faut faire! Qui me guidera dans le choix? Difficilement trouvera-t-on dans un pays les meilleurs livres du parti contraire, à plus forte raison ceux de tous les partis : quand on les trouverait, ils seraient bientôt réfutés. L'absent a toujours tort et de mauvaises raisons dites avec assurance effacent aisément les bonnes exposées avec mépris. D'ailleurs, souvent rien n'est plus trompeur que les livres et ne rend moins fidèlement les sentiments de ceux qui les ont écrits. Quand vous avez voulu juger de la foi catholique sur le livre de Bossuet, vous vous êtes

* Plutarque rapporte que les stoïciens, entre autres bizarres paradoxes, soutenaient que, dans un jugement contradictoire, il était inutile d'entendre les deux parties. Car, disaient-ils, ou le premier a prouvé son dire, ou il ne l'a pas prouvé : s'il l'a prouvé, tout est dit, et la partie adverse doit être condamnée; s'il ne l'a pas prouvé, il a tort, et doit être débouté. Je trouve que la méthode de tous ceux qui admettent une révélation exclusive ressemble beaucoup à celle de ces stoïciens. Sitôt que chacun prétend avoir seul raison, pour choisir entre tant de partis, il les faut tous écouter, ou l'on est injuste.

trouvé loin de compte après avoir vécu parmi nous. Vous avez vu que la doctrine avec laquelle on répond aux protestants n'est point celle qu'on enseigne au peuple, et que le livre de Bossuet ne ressemble guère aux instructions du prône. Pour bien juger d'une religion, il ne faut pas l'étudier dans les livres de ses sectateurs, il faut aller l'apprendre chez eux; cela est fort différent. Chacun a ses traditions, son sens, ses coutumes, ses préjugés, qui font l'esprit de sa croyance, et qu'il y faut joindre pour en juger[113].

Combien de grands peuples n'impriment point de livres et ne lisent pas les nôtres! Comment jugeront-ils de nos opinions? comment jugerons-nous des leurs? Nous les raillons, ils nous méprisent, et, si nos voyageurs les tournent en ridicule, il ne leur manque, pour nous le rendre, que de voyager parmi nous. Dans quel pays n'y a-t-il pas des gens sensés, des gens de bonne foi, d'honnêtes gens amis de la vérité, qui, pour la professer, ne cherchent qu'à la connaître? Cependant chacun la voit dans son culte, et trouve absurdes les cultes des autres nations : donc ces cultes étrangers ne sont pas si extravagants qu'ils nous semblent, ou la raison que nous trouvons dans les nôtres ne prouve rien.

Nous avons trois principales religions en Europe[114]. L'une admet une seule révélation, l'autre en admet deux, l'autre en admet trois. Chacune déteste, maudit les autres, les accuse d'aveuglement, d'endurcissement, d'opiniâtreté, de mensonge. Quel homme impartial osera juger entre elles, s'il n'a premièrement bien pesé leurs preuves, bien écouté leurs raisons? Celle qui n'admet qu'une révélation est la plus ancienne, et paraît la plus sûre; celle qui en admet trois est la plus moderne, et paraît la plus conséquente; celle qui en admet deux, et rejette la troisième, peut bien être la meilleure, mais elle a certainement tous les préjugés contre elle, l'inconséquence saute aux yeux.

Dans les trois révélations, les livres sacrés sont écrits en des langues inconnues aux peuples qui les suivent.

Les Juifs n'entendent plus l'hébreu, les Chrétiens n'entendent ni l'hébreu ni le grec; les Turcs ni les Persans n'entendent point l'arabe; et les Arabes modernes eux-mêmes ne parlent plus la langue de Mahomet. Ne voilà-t-il pas une manière bien simple d'instruire les hommes, de leur parler toujours une langue qu'ils n'entendent point? On traduit ces livres, dira-t-on. Belle réponse! Qui m'assurera que ces livres sont fidèlement traduits, qu'il est même possible qu'ils le soient[115]? Et quand Dieu fait tant que de parler aux hommes, pourquoi faut-il qu'il ait besoin d'interprète?

Je ne concevrai jamais que ce que tout homme est obligé de savoir soit enfermé dans des livres, et que celui qui n'est à portée ni de ces livres, ni des gens qui les entendent soit puni d'une ignorance involontaire. Toujours des livres! quelle manie! Parce que l'Europe est pleine de livres, les Européens les regardent comme indispensables, sans songer que, sur les trois quarts de la terre, on n'en a jamais vu. Tous les livres n'ont-ils pas été écrits par des hommes? Comment donc l'homme en aurait-il besoin pour connaître ses devoirs? Et quels moyens avait-il de les connaître avant que ces livres fussent faits? Ou il apprendra ses devoirs de lui-même, ou il est dispensé de les savoir[116].

Nos catholiques font grand bruit de l'autorité de l'Église; mais que gagnent-ils à cela, s'il leur faut un aussi grand appareil de preuves pour établir cette autorité qu'aux autres sectes pour établir directement leur doctrine? L'Église décide que l'Église a droit de décider. Ne voilà-t-il pas une autorité bien prouvée? Sortez de là, vous rentrez dans toutes nos discussions[117].

Connaissez-vous beaucoup de chrétiens qui aient pris la peine d'examiner avec soin ce que le judaïsme allègue contre eux? Si quelques-uns en ont vu quelque chose, c'est dans les livres des chrétiens. Bonne manière de s'instruire des raisons de leurs adversaires! Mais comment faire? Si quelqu'un osait publier parmi nous des livres où l'on favoriserait ouvertement le judaïsme, nous punirions l'auteur, l'éditeur, le libraire*. Cette police est commode et sûre, pour avoir toujours raison. Il y a plaisir à réfuter des gens qui n'osent parler.

Ceux d'entre nous qui sont à portée de converser avec des Juifs ne sont guère plus avancés. Les malheureux se sentent à notre discrétion; la tyrannie qu'on exerce envers eux les rend craintifs; ils savent combien peu l'injustice et la cruauté coûtent à la charité chrétienne : qu'oseront-ils dire sans s'exposer à nous faire crier au blasphème ? L'avidité nous donne du zèle, et ils sont trop riches pour n'avoir pas tort. Les plus savants, les plus éclairés sont toujours les plus circonspects. Vous convertirez quelque misérable, payé pour calomnier sa secte; vous ferez parler quelques vils fripiers, qui céderont pour vous flatter; vous triompherez de leur ignorance ou de leur lâcheté, tandis que leurs docteurs souriront en silence de votre ineptie. Mais croyez-vous que dans des lieux où ils se sentiraient en sûreté l'on eût aussi bon marché d'eux ? En Sorbonne, il est clair comme le jour que les prédictions du Messie se rapportent à Jésus-Christ. Chez les rabbins d'Amsterdam, il est tout aussi clair qu'elles n'y ont pas le moindre rapport. Je ne croirai jamais avoir bien entendu les raisons des Juifs qu'ils n'aient un État libre, des écoles, des universités, où ils puissent parler et disputer sans risque. Alors seulement nous pourrons savoir ce qu'ils ont à dire[118].

À Constantinople les Turcs disent leurs raisons, mais nous n'osons dire les nôtres; là c'est notre tour de ramper. Si les Turcs exigent de nous pour Mahomet, auquel nous ne croyons point, le même respect

* Entre mille faits connus, en voici un qui n'a pas besoin de commentaire. Dans le XVIe siècle, les théologiens catholiques ayant condamné au feu tous les livres des Juifs, sans distinction, l'illustre et savant Reuchlin, consulté sur cette affaire, s'en attira de terribles qui faillirent le perdre, pour avoir seulement été d'avis qu'on pouvait conserver ceux de ces livres qui ne faisaient rien contre le christianisme, et qui traitaient de matières indifférentes à la religion.

que nous exigeons pour Jésus-Christ des Juifs qui n'y croient pas davantage, les Turcs ont-ils tort ? avons-nous raison ? sur quel principe équitable résoudrons-nous cette question ?

Les deux tiers du genre humain ne sont ni Juifs, ni Mahométans, ni Chrétiens ; et combien de millions d'hommes n'ont jamais ouï parler de Moïse, de Jésus-Christ, ni de Mahomet ! On le nie ; on soutient que nos missionnaires vont partout. Cela est bientôt dit. Mais vont-ils dans le cœur de l'Afrique encore inconnue, et où jamais Européen n'a pénétré jusqu'à présent ? Vont-ils dans la Tartarie méditerranée suivre à cheval les hordes ambulantes, dont jamais étranger n'approche, et qui, loin d'avoir ouï parler du pape, connaissent à peine le grand lama ? Vont-ils dans les continents immenses de l'Amérique, où des nations entières ne savent pas encore que les peuples d'un autre monde ont mis les pieds dans le leur ? Vont-ils au Japon, dont leurs manœuvres les ont fait chasser pour jamais[119], et où leurs prédécesseurs ne sont connus des générations qui naissent que comme des intrigants rusés, venus avec un zèle hypocrite pour s'emparer doucement de l'empire ? Vont-ils dans les harems des princes de l'Asie annoncer l'Évangile à des milliers de pauvres esclaves ? Qu'ont fait les femmes de cette partie du monde pour qu'aucun missionnaire ne puisse leur prêcher la foi ? Iront-elles toutes en enfer pour avoir été recluses ?

Quand il serait vrai que l'Évangile est annoncé par toute la terre, qu'y gagnerait-on ? la veille du jour que le premier missionnaire est arrivé dans un pays, il y est sûrement mort quelqu'un qui n'a pu l'entendre. Or, dites-moi ce que nous ferons de ce quelqu'un-là. N'y eût-il dans tout l'univers qu'un seul homme à qui l'on n'aurait jamais prêché Jésus-Christ, l'objection serait aussi forte pour ce seul homme que pour le quart du genre humain.

Quand les ministres de l'Évangile se sont fait entendre aux peuples éloignés, que leur ont-ils dit qu'on pût raisonnablement admettre sur leur parole, et qui ne demandât pas la plus exacte vérification? Vous m'annoncez un Dieu né et mort il y a deux mille ans, à l'autre extrémité du monde, dans je ne sais quelle petite ville, et vous me dites que tous ceux qui n'auront point cru à ce mystère seront damnés. Voilà des choses bien étranges pour les croire si vite sur la seule autorité d'un homme que je ne connais point! Pourquoi votre Dieu a-t-il fait arriver si loin de moi les événements dont il voulait m'obliger d'être instruit? Est-ce un crime d'ignorer ce qui se passe aux antipodes? Puis-je deviner qu'il y a eu dans un autre hémisphère un peuple hébreu et une ville de Jérusalem? Autant vaudrait m'obliger de savoir ce qui se fait dans la lune. Vous venez, dites-vous, me l'apprendre; mais pourquoi n'êtes-vous pas venu l'apprendre à mon père? ou pourquoi damnez-vous ce bon vieillard pour n'en avoir jamais rien su? Doit-il être éternellement puni de votre paresse, lui qui était si bon, si bienfaisant, et qui ne cherchait que la vérité? Soyez de bonne foi, puis mettez-vous à ma place : voyez si je dois, sur votre seul témoignage, croire toutes les choses incroyables que vous me dites, et concilier tant d'injustices avec le Dieu juste que vous m'annoncez. Laissez-moi, de grâce, aller voir ce pays lointain où s'opérèrent tant de merveilles inouïes dans celui-ci, que j'aille savoir pourquoi les habitants de cette Jérusalem ont traité Dieu comme un brigand. Ils ne l'ont pas, dites-vous, reconnu pour Dieu. Que ferai-je donc, moi qui n'en ai jamais entendu parler que par vous? Vous ajoutez qu'ils ont été punis, dispersés, opprimés, asservis, qu'aucun d'eux n'approche plus de la même ville. Assurément ils ont bien mérité tout cela; mais les habitants d'aujourd'hui, que disent-ils du déicide de leurs prédécesseurs? Ils le nient, ils ne reconnaissent pas non plus Dieu pour Dieu. Autant valait donc laisser les enfants des autres[120].

Quoi! dans cette même ville où Dieu est mort, les anciens ni les nouveaux habitants ne l'ont point reconnu, et vous voulez que je le reconnaisse, moi qui suis né deux mille ans après à deux mille lieues de là!

Ne voyez-vous pas qu'avant que j'ajoute foi à ce livre que vous appelez sacré, et auquel je ne comprends rien, je dois savoir par d'autres que vous quand et par qui il a été fait, comment il s'est conservé, comment il vous est parvenu, ce que disent dans le pays, pour leurs raisons, ceux qui le rejettent, quoiqu'ils sachent aussi bien que vous tout ce que vous m'apprenez ? Vous sentez bien qu'il faut nécessairement que j'aille en Europe, en Asie, en Palestine, examiner tout par moi-même : il faudrait que je fusse fou pour vous écouter avant ce temps-là.

Non seulement ce discours me paraît raisonnable, mais je soutiens que tout homme sensé doit, en pareil cas, parler ainsi et renvoyer bien loin le missionnaire qui, avant la vérification des preuves, veut se dépêcher de l'instruire et de le baptiser. Or, je soutiens qu'il n'y a pas de révélation contre laquelle les mêmes objections n'aient autant et plus de force que contre le christianisme. D'où il suit que s'il n'y a qu'une religion véritable, et que tout homme soit obligé de la suivre sous peine de damnation, il faut passer sa vie à les étudier toutes, à les approfondir, à les comparer, à parcourir les pays où elles sont établies. Nul n'est exempt du premier devoir de l'homme, nul n'a droit de se fier au jugement d'autrui. L'artisan qui ne vit que de son travail, le laboureur qui ne sait pas lire, la jeune fille délicate et timide, l'infirme qui peut à peine sortir de son lit, tous, sans exception, doivent étudier, méditer, disputer, voyager, parcourir le monde : il n'y aura plus de peuple fixe et stable ; la terre entière ne sera couverte que de pèlerins allant à grands frais, et avec de longues fatigues, vérifier, comparer, examiner par eux-mêmes les cultes divers qu'on y suit. Alors, adieu les métiers, les arts, les sciences humaines, et toutes les occupations civiles : il ne peut plus y avoir d'autre étude que celle de la religion : à grand-peine celui qui aura joui de la santé la plus robuste, le mieux employé son temps, le mieux usé de sa raison, vécu le plus d'années, saura-t-il dans sa vieillesse à quoi s'en tenir ; et ce sera beaucoup s'il apprend avant sa mort dans quel culte il aurait dû vivre[121].

Voulez-vous mitiger cette méthode, et donner la moindre prise à l'autorité des hommes? À l'instant vous lui rendez tout; et si le fils d'un Chrétien fait bien de suivre, sans un examen profond et impartial, la religion de son père, pourquoi le fils d'un Turc ferait-il mal de suivre de même la religion du sien? Je défie tous les intolérants de répondre à cela rien qui contente un homme sensé[122].

Pressés par ces raisons, les uns aiment mieux faire Dieu injuste, et punir les innocents du péché de leur père, que de renoncer à leur barbare dogme. Les autres se tirent d'affaire en envoyant obligeamment un ange instruire quiconque, dans une ignorance invincible, aurait vécu moralement bien. La belle invention que cet ange! Non contents de nous asservir à leurs machines[123], ils mettent Dieu lui-même dans la nécessité d'en employer.

Voyez, mon fils, à quelle absurdité mènent l'orgueil et l'intolérance, quand chacun veut abonder dans son sens, et croire avoir raison exclusivement au reste du genre humain. Je prends à témoin ce Dieu de paix que j'adore et que je vous annonce, que toutes mes recherches ont été sincères; mais voyant qu'elles étaient, qu'elles seraient toujours sans succès, et que je m'abîmais dans un océan sans rives, je suis revenu sur mes pas, et j'ai resserré ma foi dans mes notions primitives. Je n'ai jamais pu croire que Dieu m'ordonnât, sous peine de l'enfer, d'être savant. J'ai donc refermé tous les livres. Il en est un seul ouvert à tous les yeux, c'est celui de la nature. C'est dans ce grand et sublime livre que j'apprends à servir et adorer son divin auteur. Nul n'est excusable de n'y pas lire, parce qu'il parle à tous les hommes une langue intelligible à tous les esprits. Quand je serais né dans une île déserte, quand je n'aurais point vu d'autre homme que moi, quand je n'aurais jamais appris ce qui s'est fait anciennement dans un coin du monde; si j'exerce ma raison, si je la cultive, si j'use bien des facultés immédiates que Dieu me donne, j'apprendrai de moi-même à le connaître, à l'aimer, à aimer ses œuvres, à vouloir le bien qu'il veut, et à remplir pour lui plaire tous mes devoirs sur la terre. Qu'est-ce que tout le savoir des hommes m'apprendra de plus[124]?

À l'égard de la révélation, si j'étais meilleur raisonneur ou mieux instruit, peut-être sentirais-je sa vérité, son utilité pour ceux qui ont le bonheur de la reconnaître; mais si je vois en sa faveur des preuves que je ne puis combattre, je vois aussi contre elle des objections que je ne puis résoudre. Il y a tant de raisons solides pour et contre, que, ne sachant à quoi me déterminer, je ne l'admets ni ne la rejette; je rejette seulement l'obligation de la reconnaître, parce que cette obligation prétendue est incompatible avec la justice de Dieu, et que, loin de lever par là les obstacles au salut, il les eût multipliés, il les eût rendus insurmontables pour la grande partie du genre humain. À cela près, je reste sur ce point dans un doute respectueux[125]. Je n'ai pas la présomption de me croire infaillible : d'autres hommes ont pu décider ce qui me semble indécis; je raisonne pour moi et non pas pour eux; je ne les blâme ni ne les imite : leur jugement peut être meilleur que le mien; mais il n'y a pas de ma faute si ce n'est pas le mien.

Je vous avoue aussi que la majesté des Écritures m'étonne, que la sainteté de l'Évangile parle à mon cœur[126]. Voyez les livres des philosophes avec toute leur pompe : qu'ils sont petits près de celui-là! Se peut-il qu'un livre à la fois si sublime et si simple soit l'ouvrage des hommes? Se peut-il que celui dont il fait l'histoire ne soit qu'un homme lui-même? Est-ce là le ton d'un enthousiaste ou d'un ambitieux sectaire? Quelle douceur, quelle pureté dans ses mœurs! quelle grâce touchante dans ses instructions! quelle élévation dans ses maximes! quelle profonde sagesse dans ses discours! quelle présence d'esprit, quelle finesse et quelle justesse dans ses réponses! quel empire sur ses passions! Où est l'homme, où est le sage qui sait agir, souffrir et mourir sans faiblesse et sans ostentation? Quand Platon peint son juste imaginaire couvert de tout l'opprobre du crime, et digne de tous les prix de la vertu, il peint trait pour trait Jésus-Christ : la ressemblance est si frappante que tous les Pères l'ont sentie, et qu'il n'est pas possible de s'y tromper. Quels préjugés, quel aveuglement ne faut-il point avoir pour oser comparer le fils de Sophronisque au fils de Marie ? Quelle distance de l'un à l'autre ! Socrate, mourant sans douleur, sans ignominie, soutint aisément jusqu'au bout son personnage ; et si cette facile mort n'eût honoré sa vie, on douterait si Socrate, avec tout son esprit, fut autre chose qu'un sophiste. Il inventa, dit-on, la morale ; d'autres avant lui l'avaient mise en pratique ; il ne fit que dire ce qu'ils avaient fait, il ne fit que mettre en leçons leurs exemples. Aristide avait été juste avant que Socrate eût dit ce que c'était que justice ; Léonidas était mort pour son pays avant que Socrate eût fait un devoir d'aimer la patrie ; Sparte était sobre avant que Socrate eût loué la sobriété ; avant qu'il eût défini la vertu, la Grèce abondait en hommes vertueux. Mais où Jésus avait-il pris chez les siens cette morale élevée et pure dont lui seul a donné les leçons et l'exemple* ? Du sein du plus furieux fanatisme la plus haute sagesse se fit entendre ; et la simplicité des plus héroïques vertus honora le plus vil de tous les peuples. La mort de Socrate, philosophant tranquillement avec ses amis, est la plus douce qu'on puisse désirer ; celle de Jésus expirant dans les tourments, injurié, raillé, maudit de tout un peuple, est la plus horrible qu'on puisse craindre. Socrate prenant la coupe empoisonnée bénit celui qui la lui présente et qui pleure ; Jésus, au milieu d'un supplice affreux, prie pour ses bourreaux acharnés. Oui, si la vie et la mort de Socrate sont d'un sage, la vie et la mort de Jésus sont d'un Dieu. Dirons-nous que l'histoire de l'Évangile est inventée à plaisir ? Mon ami, ce n'est pas ainsi qu'on invente ; et les faits de Socrate, dont personne ne doute, sont moins attestés

* Voyez, dans le Discours sur la montagne, le parallèle qu'il fait lui-même de la morale de Moïse à la sienne (Matth., *cap.* v, vers. 21 et *seq.*)

que ceux de Jésus-Christ. Au fond c'est reculer la difficulté sans la détruire; il serait plus inconcevable que plusieurs hommes d'accord eussent fabriqué ce livre qu'il ne l'est qu'un seul en ait fourni le sujet. Jamais les auteurs juifs n'eussent trouvé ni ce ton ni cette morale; et l'Évangile a des caractères de vérité si grands, si frappants, si parfaitement inimitables que l'inventeur en serait plus étonnant que le héros. Avec tout cela, ce même Évangile est plein de choses incroyables, de choses qui répugnent à la raison, et qu'il est impossible à tout homme sensé de concevoir ni d'admettre. Que faire au milieu de toutes ces contradictions? Être toujours modeste et circonspect, mon enfant; respecter en silence ce qu'on ne saurait ni rejeter, ni comprendre, et s'humilier devant le grand Être qui seul sait la vérité [127].

Voilà le scepticisme involontaire où je suis resté; mais ce scepticisme ne m'est nullement pénible, parce qu'il ne s'étend pas aux points essentiels à la pratique, et que je suis bien décidé sur les principes de tous mes devoirs [128]. Je sers Dieu dans la simplicité de mon cœur. Je ne cherche à savoir que ce qui importe à ma conduite. Quant aux dogmes qui n'influent ni sur les actions ni sur la morale, et dont tant de gens se tourmentent, je ne m'en mets nullement en peine. Je regarde toutes les religions particulières comme autant d'institutions salutaires [129] qui prescrivent dans chaque pays une manière uniforme d'honorer Dieu par un culte public, et qui peuvent toutes avoir leurs raisons dans le climat, dans le gouvernement, dans le génie du peuple, ou dans quelque autre cause locale qui rend l'une préférable à l'autre, selon les temps et les lieux. Je les crois toutes bonnes quand on y sert Dieu convenablement. Le culte essentiel est celui du cœur. Dieu n'en rejette point l'hommage, quand il est sincère, sous quelque forme qu'il lui soit offert. Appelé dans celle que je professe au service de l'Église, j'y remplis avec toute l'exactitude possible les soins qui me sont prescrits, et ma conscience me reprocherait d'y manquer volontairement en quelque point. Après un long interdit vous savez que j'obtins, par le crédit de M. de Mellarède, la permission de reprendre mes fonctions pour m'aider à vivre. Autrefois je disais la messe avec la légèreté qu'on met à la longue aux choses les plus graves quand on les fait trop souvent; depuis mes nouveaux principes, je la célèbre avec plus de vénération : je me pénètre de la majesté de l'Être suprême, de sa présence, de l'insuffisance de l'esprit humain, qui conçoit si peu ce qui se rapporte à son auteur. En songeant que je lui porte les vœux du peuple sous une forme prescrite, je suis avec soin tous les rites; je récite attentivement, je m'applique à n'omettre jamais ni le moindre mot ni la moindre cérémonie; quand j'approche du moment de la consécration, je me recueille pour la faire avec toutes les dispositions qu'exigent l'Église et la grandeur du sacrement; je tâche d'anéantir ma raison devant la suprême intelligence; je me dis : Qui es-tu pour mesurer la puissance infinie? Je prononce avec respect les mots sacramentaux, et je donne à leur effet toute la foi qui dépend de moi. Quoi qu'il en soit de ce mystère inconcevable, je ne crains pas qu'au jour du jugement je sois puni pour l'avoir jamais profané dans mon cœur[130].

Honoré du ministère sacré, quoique dans le dernier rang, je ne ferai jamais rien qui me rende indigne d'en remplir les sublimes devoirs. Je prêcherai toujours la vertu aux hommes, je les exhorterai toujours à bien faire; et, tant que je pourrai, je leur en donnerai l'exemple. Il ne tiendra pas à moi de leur rendre la religion aimable; il ne tiendra pas à moi d'affermir leur foi dans les dogmes vraiment utiles et que tout homme est obligé de croire : mais à Dieu ne plaise que jamais je leur prêche le dogme cruel de l'intolérance; que jamais je les porte à détester leur prochain, à dire à d'autres hommes : Vous serez damnés*. Si j'étais

* Le devoir de suivre et d'aimer la religion de son pays ne s'étend pas jusqu'aux dogmes contraires à la bonne morale, tels que celui de l'intolérance. C'est ce dogme horrible qui arme les hommes les uns contre les autres, et les rend tous ennemis du genre humain. La distinction entre la tolérance civile et la tolérance théologique est puérile et vaine. Ces deux tolérances sont inséparables, et l'on ne

dans un rang plus remarquable, cette réserve pourrait m'attirer des affaires; mais je suis trop petit pour avoir beaucoup à craindre, et je ne puis guère tomber plus bas que je ne suis. Quoi qu'il arrive, je ne blasphémerai point contre la justice divine, et ne mentirai point contre le Saint-Esprit.

J'ai longtemps ambitionné l'honneur d'être curé; je l'ambitionne encore, mais je ne l'espère plus. Mon bon ami, je ne trouve rien de si beau que d'être curé[131]. Un bon curé est un ministre de bonté, comme un bon magistrat est un ministre de justice. Un curé n'a jamais de mal à faire; s'il ne peut pas toujours faire le bien par lui-même, il est toujours à sa place quand il le sollicite, et souvent il l'obtient quand il sait se faire respecter. Ô si jamais dans nos montagnes j'avais quelque cure de bonnes gens à desservir! je serais heureux, car il me semble que je ferais le bonheur de mes paroissiens. Je ne les rendrais pas riches, mais je partagerais leur pauvreté; j'en ôterais la flétrissure et le mépris, plus insupportable que l'indigence. Je leur ferais aimer la concorde et l'égalité, qui chassent souvent la misère, et la font toujours supporter. Quand ils verraient que je ne serais en rien mieux qu'eux, et que pourtant je vivrais content, ils apprendraient à se consoler de leur sort et à vivre contents comme moi. Dans mes instructions je m'attacherais moins à l'esprit de l'Église qu'à l'esprit de l'Évangile, où le dogme est simple et la morale sublime, où l'on voit peu de pratiques religieuses et beaucoup d'œuvres de charité. Avant de leur enseigner ce qu'il faut faire, je m'efforcerais toujours de le pratiquer afin qu'ils vissent bien que tout ce que je leur dis, je le pense. Si j'avais des protestants dans mon voisinage ou dans ma paroisse, je ne les distinguerais point de mes vrais paroissiens en tout ce qui tient à la charité chrétienne; je les porterais tous également à

peut admettre l'une sans l'autre. Des anges mêmes ne vivraient pas en paix avec des hommes qu'ils regarderaient comme les ennemis de Dieu.

s'entr'aimer, à se regarder comme frères, à respecter toutes les religions, et à vivre en paix chacun dans la sienne. Je pense que solliciter quelqu'un de quitter celle où il est né, c'est le solliciter de mal faire, et par conséquent faire mal soi-même[132]. En attendant de plus grandes lumières, gardons l'ordre public ; dans tout pays respectons les lois, ne troublons point le culte qu'elles prescrivent ; ne portons point les citoyens à la désobéissance ; car nous ne savons point certainement si c'est un bien pour eux de quitter leurs opinions pour d'autres, et nous savons très certainement que c'est un mal de désobéir aux lois.

Je viens, mon jeune ami, de vous réciter de bouche ma profession de foi telle que Dieu la lit dans mon cœur : vous êtes le premier à qui je l'aie faite ; vous êtes le seul peut-être à qui je la ferai jamais. Tant qu'il reste quelque bonne croyance parmi les hommes, il ne faut point troubler les âmes paisibles, ni alarmer la foi des simples par des difficultés qu'ils ne peuvent résoudre et qui les inquiètent sans les éclairer. Mais quand une fois tout est ébranlé, on doit conserver le tronc aux dépens des branches[133]. Les consciences agitées, incertaines, presque éteintes, et dans l'état où j'ai vu la vôtre, ont besoin d'être affermies et réveillées ; et, pour les rétablir sur la base des vérités éternelles, il faut achever d'arracher les piliers flottants auxquels elles pensent tenir encore.

Vous êtes dans l'âge critique où l'esprit s'ouvre à la certitude, où le cœur reçoit sa forme et son caractère, et où l'on se détermine pour toute la vie, soit en bien, soit en mal. Plus tard, la substance est durcie, et les nouvelles empreintes ne marquent plus. Jeune homme, recevez dans votre âme, encore flexible, le cachet de la vérité. Si j'étais plus sûr de moi-même, j'aurais pris avec vous un ton dogmatique et décisif : mais je suis homme, ignorant, sujet à l'erreur ; que pouvais-je faire ? Je vous ai ouvert mon cœur sans réserve ; ce que je tiens pour sûr, je vous l'ai donné pour tel ; je vous ai donné mes doutes pour des doutes, mes opinions pour des opinions ; je vous ai dit mes raisons de douter et de croire. Maintenant, c'est à vous de juger : vous avez pris du temps ; cette précaution est sage et me fait bien penser de vous. Commencez par mettre votre conscience en état de vouloir être éclairée[134]. Soyez sincère avec vous-même. Appropriez-vous de mes sentiments ce qui vous aura persuadé, rejetez le reste. Vous n'êtes pas encore assez dépravé par le vice pour risquer de mal choisir. Je vous proposerais d'en conférer entre nous ; mais sitôt qu'on dispute on s'échauffe ; la vanité, l'obstination s'en mêlent, la bonne foi n'y est plus. Mon ami, ne disputez jamais, car on n'éclaire par la dispute ni soi ni les autres. Pour moi, ce n'est qu'après bien des années de méditation que j'ai pris mon parti : je m'y tiens ; ma conscience est tranquille, mon cœur est content. Si je voulais recommencer un nouvel examen de mes sentiments, je n'y porterais pas un plus pur amour de la vérité ; et mon esprit, déjà moins actif, serait moins en état de la connaître. Je resterai comme je suis, de peur qu'insensiblement le goût de la contemplation, devenant une passion oiseuse, ne m'attiédît sur l'exercice de mes devoirs, et de peur de retomber dans mon premier pyrrhonisme, sans retrouver la force d'en sortir[135]. Plus de la moitié de ma vie est écoulée ; je n'ai plus que le temps qu'il me faut pour en mettre à profit le reste, et pour effacer mes erreurs par mes vertus. Si je me trompe, c'est malgré moi. Celui qui lit au fond de mon cœur sait bien que je n'aime pas mon aveuglement. Dans l'impuissance de m'en tirer par mes propres lumières, le seul moyen qui me reste pour en sortir est une bonne vie ; et si des pierres mêmes Dieu peut susciter des enfants à Abraham, tout homme a droit d'espérer d'être éclairé lorsqu'il s'en rend digne.

Si mes réflexions vous amènent à penser comme je pense, que mes sentiments soient les vôtres, et que nous ayons la même profession de foi, voici le conseil que je vous donne : N'exposez plus votre vie aux tentations de la misère et du désespoir ; ne la traînez plus avec ignominie à la merci des étrangers, et cessez de manger le vil pain de l'aumône. Retournez dans votre patrie, reprenez la religion de vos pères, suivez-la dans la sincérité de votre cœur, et ne la quittez plus : elle est très simple et très sainte; je la crois de toutes les religions qui sont sur la terre celle dont la morale est la plus pure et dont la raison se contente le mieux[136]. Quant aux frais du voyage, n'en soyez point en peine, on y pourvoira. Ne craignez pas non plus la mauvaise honte d'un retour humiliant; il faut rougir de faire une faute, et non de la réparer. Vous êtes encore dans l'âge où tout se pardonne, mais où l'on ne pèche plus impunément. Quand vous voudrez écouter votre conscience, mille vains obstacles disparaîtront à sa voix. Vous sentirez que, dans l'incertitude où nous sommes, c'est une inexcusable présomption de professer une autre religion que celle où l'on est né, et une fausseté de ne pas pratiquer sincèrement celle qu'on professe. Si l'on s'égare, on s'ôte une grande excuse au tribunal du souverain juge. Ne pardonnera-t-il pas plutôt l'erreur où l'on fut nourri, que celle qu'on osa choisir soi-même?

Mon fils, tenez votre âme en état de désirer toujours qu'il y ait un Dieu, et vous n'en douterez jamais[137]. Au surplus, quelque parti que vous puissiez prendre, songez que les vrais devoirs de la religion sont indépendants des institutions des hommes; qu'un cœur juste est le vrai temple de la Divinité; qu'en tout pays et dans toute secte, aimer Dieu par-dessus tout et son prochain comme soi-même est le sommaire de la loi; qu'il n'y a point de religion qui dispense des devoirs de la morale; qu'il n'y a de vraiment essentiels que ceux-là; que le culte intérieur est le premier de ces devoirs, et que sans la foi nulle véritable vertu n'existe[138].

Fuyez ceux qui[139], sous prétexte d'expliquer la nature, sèment dans les cœurs des hommes de désolantes doctrines, et dont le scepticisme apparent est cent fois plus affirmatif et plus dogmatique que le ton décidé de leurs adversaires. Sous le hautain prétexte qu'eux seuls sont éclairés, vrais, de bonne foi, ils nous soumettent impérieusement à leurs décisions tranchantes, et prétendent nous donner pour les vrais principes des choses les inintelligibles systèmes qu'ils ont bâtis dans leur imagination. Du reste, renversant, détruisant, foulant aux pieds tout ce que les hommes respectent, ils ôtent aux affligés la dernière consolation de leur misère, aux puissants et aux riches le seul frein de leurs passions ; ils arrachent du fond des cœurs le remords du crime, l'espoir de la vertu, et se vantent encore d'être les bienfaiteurs du genre humain. Jamais, disent-ils, la vérité n'est nuisible aux hommes. Je le crois comme eux, et c'est, à mon avis, une grande preuve que ce qu'ils enseignent n'est pas la vérité*.

Bon jeune homme, soyez sincère et vrai sans orgueil ; sachez être ignorant : vous ne tromperez ni vous ni les autres. Si jamais vos talents cultivés vous mettent en état de parler aux hommes, ne leur parlez jamais que selon votre conscience, sans vous embarrasser s'ils vous applaudiront. L'abus du savoir produit l'incrédulité. Tout savant dédaigne le sentiment vulgaire ; chacun en veut avoir un à soi. L'orgueilleuse philosophie mène au fanatisme. Évitez ces extrémités ; restez toujours ferme dans la voie de la vérité, ou de ce qui vous paraîtra l'être dans la simplicité de votre cœur, sans jamais vous en détourner par vanité ni par faiblesse[140]. Osez confesser Dieu chez les philosophes ; osez prêcher l'humanité aux intolérants. Vous serez seul de votre parti peut-être ; mais vous porterez en vous-même un témoignage qui vous dispensera de ceux des hommes. Qu'ils vous aiment ou vous haïssent, qu'ils lisent ou méprisent vos écrits, il n'importe. Dites ce qui est vrai, faites ce qui est bien ; ce qui importe est de remplir ses devoirs sur la terre ; et c'est en s'oubliant qu'on travaille pour soi. Mon enfant, l'intérêt particulier nous trompe ; il n'y a que l'espoir du juste qui ne trompe point[141].

Amen[142].

* Les deux partis s'attaquent réciproquement par tant de sophismes que ce serait une entreprise immense et téméraire de

vouloir les relever tous; c'est déjà beaucoup d'en noter quelques-uns à mesure qu'ils se présentent[143]. Un des plus familiers au parti philosophiste est d'opposer un peuple supposé de bons philosophes à un peuple de mauvais chrétiens : comme si un peuple de vrais philosophes était plus facile à faire qu'un peuple de vrais chrétiens! Je ne sais si, parmi les individus, l'un est plus facile à trouver que l'autre; mais je sais bien que, dès qu'il est question de peuples, il en faut supposer qui abuseront de la philosophie sans religion, comme les nôtres abusent de la religion sans philosophie; et cela me paraît changer beaucoup l'état de la question.

Bayle a très bien prouvé que le fanatisme est plus pernicieux que l'athéisme, et cela est incontestable; mais ce qu'il n'a eu garde de dire, et qui n'est pas moins vrai, c'est que le fanatisme, quoique sanguinaire et cruel, est pourtant une passion grande et forte, qui élève le cœur de l'homme, qui lui fait mépriser la mort, qui lui donne un ressort prodigieux, et qu'il ne faut que mieux diriger pour en tirer les plus sublimes vertus : au lieu que l'irréligion, et en général l'esprit raisonneur et philosophique, attache à la vie, efféminé, avilit les âmes, concentre toutes les passions dans la bassesse de l'intérêt particulier, dans l'abjection du *moi* humain, et sape ainsi à petit bruit les vrais fondements de toute société; car ce que les intérêts particuliers ont de commun est si peu de chose qu'il ne balancera jamais ce qu'ils ont d'opposé[144].

Si l'athéisme ne fait pas verser le sang des hommes, c'est moins par amour pour la paix que par indifférence pour le bien : comme que tout aille, peu importe au prétendu sage, pourvu qu'il reste en repos dans son cabinet. Ses principes ne font pas tuer les hommes, mais ils les empêchent de naître, en détruisant les mœurs qui les multiplient, en les détachant de leur espèce, en réduisant toutes leurs affections à un secret égoïsme, aussi funeste à la population qu'à la vertu. L'indifférence philosophique ressemble à la tranquillité de l'État sous le despotisme; c'est la tranquillité de la mort : elle est plus destructive que la guerre même.

Ainsi le fanatisme, quoique plus funeste dans ses effets immédiats que ce qu'on appelle aujourd'hui l'esprit philosophique, l'est beaucoup moins dans ses conséquences. D'ailleurs il est aisé d'étaler de belles maximes dans les livres; mais la question est de savoir si elles tiennent bien à la doctrine, si elles en découlent nécessairement; et c'est ce qui n'a point paru clair jusqu'ici. Reste à savoir encore si la philosophie, à son aise et sur le trône, commanderait bien à la gloriole, à l'intérêt, à l'ambition, aux petites passions de l'homme, et si elle pratiquerait cette humanité si douce qu'elle nous vante la plume à la main.

Par les principes, la philosophie ne peut faire aucun bien que la religion ne le fasse encore mieux, et la religion en fait beaucoup que la philosophie ne saurait faire.

Par la pratique, c'est autre chose; mais encore faut-il examiner. Nul homme ne suit de tout point sa religion quand il en a une : cela est vrai; la plupart n'en ont guère, et ne suivent point du tout celle qu'ils ont : cela encore est vrai; mais enfin quelques-uns en ont une, la suivent, du moins en partie ; et il est indubitable que des motifs de religion les empêchent souvent de mal faire, et obtiennent d'eux des vertus, des actions louables, qui n'auraient point eu lieu sans ces motifs.

Qu'un moine nie un dépôt ; que s'ensuit-il sinon qu'un sot le lui avait confié ? Si Pascal en eût nié un, cela prouverait que Pascal était un hypocrite, et rien de plus. Mais un moine !... Les gens qui font trafic de la religion sont-ils donc ceux qui en ont ? Tous les crimes qui se font dans le clergé, comme ailleurs, ne prouvent point que la religion soit inutile, mais que très peu de gens ont de la religion.

Nos gouvernements modernes doivent incontestablement au christianisme leur plus solide autorité et leurs révolutions moins fréquentes ; il les a rendus eux-mêmes moins sanguinaires : cela se prouve par le fait en les comparant aux gouvernements anciens. La religion mieux connue, écartant le fanatisme, a donné plus de douceur aux mœurs chrétiennes. Ce changement n'est point l'ouvrage des lettres ; car partout où elles ont brillé, l'humanité n'en a pas été plus respectée ; les cruautés des Athéniens, des Égyptiens, des empereurs de Rome, des Chinois, en font foi. Que d'œuvres de miséricorde sont l'ouvrage de l'Évangile ! Que de restitutions, de réparations, la confession ne fait-elle point faire chez les catholiques ! Chez nous combien les approches des temps de communion n'opèrent-elles point de réconciliations et d'aumônes ! Combien le jubilé des Hébreux ne rendait-il pas les usurpateurs moins avides ! Que de misères ne prévenait-il pas ! La fraternité légale unissait toute la nation : on ne voyait pas un mendiant chez eux. On n'en voit point non plus chez les Turcs, où les fondations pieuses sont innombrables ; ils sont, par principe de religion, hospitaliers, même envers les ennemis de leur culte[145].

Les mahométans disent, selon Chardin, qu'après l'examen qui suivra la résurrection universelle, tous les corps iront passer un pont appelé *Poul-Serrho*, qui est jeté sur le feu éternel, pont qu'on peut appeler, disent-ils, le troisième et dernier examen et le vrai jugement final, parce que c'est là où se fera la séparation des bons d'avec les méchants..., etc.

« Les Persans, poursuit Chardin, sont fort infatués de ce pont ; et lorsque quelqu'un souffre une injure dont, par aucune voie ni dans aucun temps, il ne peut avoir raison, sa dernière consolation est de dire : *Eh bien ! par le Dieu vivant, tu me le payeras au double au dernier jour ; tu ne passeras point le Poul-Serrho que tu ne me satisfasses auparavant ! je m'attacherai au bord de ta veste et me jetterai à tes jambes.* J'ai vu beaucoup de gens éminents, et de toutes sortes de professions, qui, appréhendant qu'on ne criât ainsi *haro* sur eux au passage de ce pont redoutable, sollicitaient ceux qui se plaignaient d'eux de leur pardonner : cela m'est arrivé cent fois à moi-même. Des gens de qualité, qui m'avaient fait faire, par importunité, des démarches autrement que je n'eusse voulu, m'abordaient au bout de quelque temps qu'ils pensaient que le chagrin en était passé, et me disaient : *Je te prie, halal becon antchifra*, c'est-à-dire *rends-moi cette affaire licite ou juste.* Quelques-uns même m'ont fait des présents et rendu des services, afin que je leur pardonnasse en déclarant que je le faisais de bon cœur : de quoi la cause n'est autre que cette créance qu'on ne passera point le pont de l'enfer qu'on n'ait rendu le dernier quatrain à ceux qu'on a oppressés » (tome VII, in-12, page 50.)

Croirai-je que l'idée de ce pont qui répare tant d'iniquités n'en prévient jamais ? Que si l'on ôtait aux Persans cette idée, en leur persuadant qu'il n'y a ni *Poul-Serrho*, ni rien de semblable, où les opprimés soient vengés de leurs tyrans après la mort, n'est-il pas clair que cela mettrait ceux-ci fort à leur aise, et les délivrerait du soin d'apaiser ces malheureux ? Il est donc faux que cette doctrine ne fût pas nuisible ; elle ne serait donc pas la vérité.

Philosophe, tes lois morales sont fort belles ; mais montre-m'en, de grâce, la sanction. Cesse un moment de battre la campagne, et dis-moi nettement ce que tu mets à la place du *Poul-Serrho*[146].

NOTES

Le renvoi aux œuvres de Rousseau sera fait dans l'édition des *Œuvres complètes* publiée sous la direction de Bernard Gagnebin et Marcel Raymond, cinq volumes de la Bibliothèque de la Pléiade (1959, 1964, 1969, 1995) notés OC, I, II, III, IV, V. Chaque fois que ce sera possible, on donnera également la référence au volume correspondant de la collection GF-Flammarion.

En ce qui concerne la correspondance, on se reportera à la *Correspondance générale* ou à la *Correspondance complète*; mais, de fait, la plupart des lettres que nous utilisons se trouvent dans le volume, plus maniable et accessible, publié par Henri Gouhier sous le titre *Lettres philosophiques*, Vrin, 1974.

Pour toutes les références, les indications d'édition se trouvent dans la bibliographie.

Notre annotation est largement redevable pour son information (sources et renvois) à l'édition critique, ancienne mais toujours précieuse, de la *Profession de foi* par Pierre-Maurice Masson (Fribourg/ Paris, 1914) et aux notes de Pierre Burgelin dans l'édition de la Bibliothèque de la Pléiade, OC IV.

1. Le 12 avril 1728, J.-J. Rousseau, qui n'a pas encore seize ans, entre à l'Hospice du San Spirito de Turin. Cette indication chronologique daterait de l'année 1758 la première rédaction de la *Profession de foi*. Elle inscrit toute cette section de l'*Émile* dans un cadre biographique. Aussi ce prologue peut-il être lu comme première rédaction du récit (*Confessions*, livre II, OC I, p. 60 sq., GF, vol. 1, p. 97 sq.) de la « conversion » de Rousseau au catholicisme. La confrontation des deux textes montre que la *Profession de foi* procède par dramatisation et condensation. Le second texte est autrement plus clair sur les avances sexuelles dont Rousseau fut alors l'objet, circonstance qui joua un peu pour lui le rôle d'une « scène primitive », de caractère traumatique. Voir plus loin : « Longtemps le dégoût lui tint lieu de vertu. »

2. Les premières rédactions donnaient : « Il était protestant. » La détermination plus précise « calviniste », accompagnée de la référence à la naissance, renvoie sans doute à cette idée constamment soutenue par Rousseau que l'appartenance à une Église est avant tout un fait d'éducation. Si l'on veut chercher là une nuance proprement dogmatique, il faudra partir des formules célèbres touchant Calvin et Luther dans les *Lettres écrites de la montagne*, lettre II, OC III, p. 715 et 716.

3. Rousseau reprendra l'expression plus bas, elle définit pour lui le vicaire. Elle a quelque chose de provocateur : l'honnêteté est presque inattendue chez un ecclésiastique ! Plus loin, le paradoxe est renforcé : un prêtre, qui plus est italien, honnête ! Plus profondément, cette détermination morale est donnée comme source et garantie de la parole du vicaire. Certains ont cru devoir s'étonner du terme s'agissant d'un homme qui non seulement avait commis la faute que Rousseau évoque, mais suivant ses propres termes n'en était « pas trop bien corrigé ». C'est ne pas voir que l'honnêteté pour Rousseau n'est pas définie par une convention sociale, mais par la voix de la nature.

4. Ce terme a chez Rousseau un sens précis : il désigne cette sorte de culture nominale des passions qui résulte de la lecture des romans, quand l'âge n'est pas encore venu de les éprouver. Voir *Confessions*, livre I, OC I, p. 8 ; GF, vol. 1, p. 46.

5. On souligne habituellement (voir P.-M. Masson) que Rousseau, en choisissant d'accoler à son vicaire cette détermination de « savoyard », lui attribue, suivant un stéréotype du moment, une naïveté un peu balourde, dont lui-même s'était vu créditer. La suggestion faite par Henri Gouhier, in « Ce que le vicaire doit à Descartes », *Annales J.-J. Rousseau*, vol. XXXV, 1956-1962, p. 141, d'inscrire le vicaire dans la figure de « l'Idiota », telle que M. de Gandillac l'a étudiée chez Nicolas de Cues, ouvre un champ d'analyse sans doute très fécond. Gouhier montre bien comment cette figure passe de Nicolas de Cues à Descartes et de Descartes à Rousseau. Gilles Deleuze, dans *Qu'est-ce que la philosophie ?*, Minuit, 1991, bien qu'il ne fasse référence ni à Rousseau ni à Gouhier, fournirait un cadre de pensée fort et pertinent par la façon dont il élabore la figure de l'Idiota comme « personnage conceptuel » (p. 60 sq.). Voir « Le vicaire, personnage conceptuel », dans notre introduction.

6. L'interprétation de ce paragraphe est décisive. Prendre cet énoncé comme le constat d'un fait (les athées seraient tous perdus de moralité) est absurde et incompatible avec les positions constantes de Rousseau. D'Helvétius, qui est pour lui un exemple de l'athée, il dit dans les *Lettres écrites de la montagne* (OC III, p. 693, note) que c'est un « homme d'honneur » et qu'il a « toujours eu de l'estime pour sa personne ». Plus significatif, parce que création délibérée de son esprit, le personnage de M. de Wolmar est celui d'un athée vertueux (« Connaissez-vous quelqu'un plus sincère, plus droit, plus juste, plus vrai ? », *La Nouvelle Héloïse*, partie VI, lettre VIII, OC II, p. 700). C'est même « apprendre aux phi-

losophes qu'on peut croire en Dieu sans être hypocrite et aux croyants qu'on peut être incrédule sans être un coquin » qui constituait « l'objet du livre » (lettre au pasteur Vernes, du 24 juin 1761).

Reste la netteté de l'énoncé qui fait clairement dépendre la vertu de la croyance religieuse. Le vicaire y reviendra tout aussi clairement dans sa récapitulation finale : « Sans la foi nulle véritable vertu n'existe. » Les dates interdisent de voir entre la lettre à Vernes et le texte de la *Profession de foi* une quelconque évolution. Il n'est pas pour autant nécessaire d'invoquer une fois de plus les « contradictions » de Rousseau. Comprendre la double thèse qu'il soutient exige de distinguer vertu et bonté d'abord, puis de définir la vertu véritable : la bonté naturelle est pure conséquence de l'amour de soi, la vertu est, lorsque les passions se sont éveillées, la capacité qu'a l'être raisonnable de les dominer et de ne pas laisser l'amour de soi se dégrader en amour propre. Mais la vertu véritable est autre chose encore, parce qu'elle consiste à éclairer la raison par la voix de la conscience, du sentiment interne.

7. La formule a pour fonction de rappeler la convention initiale : le texte de la *Profession de foi* est adressé par un correspondant anonyme à Rousseau, qui l'insère dans le texte de l'*Émile*.

8. Ce comportement du vicaire est celui que Rousseau recommande à tout éducateur (*Émile*, livre IV, OC III, p. 538 ; GF, p. 321) : même s'il faut prévenir l'élève du danger ou de la faute, l'aider à en tirer la leçon, il ne faut pas le regarder comme si l'on restait sur la berge mais l'accompagner, jusque dans ses erreurs.

9. Le rapprochement semble s'imposer avec le *Contrat social*, livre I, chap. II : « Les esclaves perdent tout dans leurs fers, jusqu'au désir d'en sortir ; ils aiment leur servitude comme les compagnons d'Ulysse aimaient leur abrutissement. » Il y aurait là l'articulation entre les idées de conscience et d'amour de la liberté, pivot de la pensée de Rousseau. On pourrait d'ailleurs prolonger la réflexion, en rapprochant l'idée si forte de « mort morale » que représente la réduction au silence de la « voix intérieure » et le « renoncement à tout » que représenterait l'abandon de la liberté selon le chapitre IV du livre I du *Contrat social*.

10. Rousseau pratiquait assidûment la copie d'extraits, qui était pour lui non seulement un procédé de documentation, de mémorisation, mais certainement une méthode de préparation de la composition.

11. Il ne faut pas se méprendre : ce n'est toujours pas Rousseau qui parle, mais son correspondant, qui se détermine ainsi à prendre le récit à son compte. Par ce tour habile, Rousseau se donne les moyens du discours direct et de sa charge émotive, sans parler en son nom propre. C'est un strict équivalent du roman par lettres. La *Profession de foi* garde des attaches fortes avec *La Nouvelle Héloïse*, dont elle dérive sans doute.

12. Ce passage semble avoir embarrassé tant P.-M. Masson que P. Burgelin. Le premier passe rapidement sur l'expression de « protestantisme déguisé » qui fait difficulté pour la lecture qu'il a de la pensée religieuse de Rousseau. Le second tente d'éclairer le texte

par des renvois à la correspondance (lettres de 1764 à l'abbé de Carondelet et à M. Séguier de Saint-Brisson) dans laquelle Rousseau invite ses correspondants soit à une réserve de la raison (sur ce qui excède notre capacité à prononcer), soit à un devoir social d'obéissance, soit à une simple attitude de prudence personnelle. Pourtant, il ne s'agit ici ni des dogmes auxquels la foi du vicaire adhère ou non ni des cérémonies auxquelles il accepte de se donner publiquement, mais bien des rites qu'il respecte « sans témoin », alors que sa raison n'y adhère pas. Là est bien le point, Rousseau le souligne : « Je ne savais plus que juger de ces contradictions. » Il nous invite ainsi à voir dans cette difficulté une voie d'accès essentielle à la pensée religieuse du vicaire.

On suggérera ici deux pistes de lecture. La première est interne. Si ce n'est pas à sa raison que le vicaire obéit en suivant tel ou tel rite, si ce n'est pas non plus à une contrainte extérieure qu'il se soumet, c'est qu'il existe une troisième source de nos actions. Ou plus précisément la foi n'est rien d'autre que ce principe qui est capable de nous déterminer à agir quand notre raison flotte. Tels étaient déjà les termes de la *Lettre à Voltaire sur la providence* du 18 août 1756 : « Quand ma raison flotte, ma foi ne peut rester longtemps en suspens et se détermine sans elle. » « Je crois mais je ne sais pas », répète-t-il à Dom Deschamps, le 25 juin 1761. C'est encore ainsi qu'il faut lire la dernière lettre, de novembre 1764, à l'abbé de Carondelet, qui établit une sorte d'équivalence — déterminante pour la pensée de Rousseau — entre foi et volonté. Sur un autre registre, celui proprement de cette « contradiction » du vicaire évoquée par Rousseau comme opposée aux termes inadéquats de déguisement et d'hypocrisie, les deux livres récents de Y. Yovel, *Spinoza et autres hérétiques*, Seuil, 1991, et G. Albiac, *La Synagogue vide*, PUF, 1994, qui donnent à la figure du marranisme un statut nouveau dans l'histoire de la philosophie, ne seraient-ils pas féconds concernant le vicaire, et plus généralement Rousseau ?

13. Cet alinéa et le suivant montrent comment s'opère le recouvrement, qui n'est jamais confusion, entre l'autoanalyse de la formation des « sentiments » et la mise en œuvre de la démarche conceptuelle. On le voit dans les *Confessions* : le vif sentiment de l'injustice des inégalités aiguillonne d'abord la fierté de Rousseau, mais la reconnaissance de ce que « la domination même est servile » (*Émile*, livre II) permet à l'amour de soi de ne pas se confondre avec la simple volonté d'arriver. Le vicaire ne demande pas à son disciple de renoncer à sa fierté personnelle pour ressentir de la compassion pour autrui. Amour de soi, amour-propre, estime de soi sont des notions au statut précis chez Rousseau : c'est la racine du sentiment moral qui y est en jeu. (Voir plus bas, note 50.)

14. Pierre-Maurice Masson indique quels textes, dans les lectures de Rousseau, peuvent avoir nourri cette description-mise en scène, et ceux, dans *La Nouvelle Héloïse* surtout, qui l'ont préparée. On accordera une attention particulière aux premières pages du livre III de l'*Émile* qui donne son statut au soleil : « L'île du genre humain, c'est la terre ; l'objet le plus frappant pour nos yeux, c'est le

soleil. » Après quoi est évoqué l'usage astronomique et préthéologique que l'on doit faire des couchers et levers du soleil. Ces textes semblent liés également au fragment de fiction *Sur la révélation*, OC, IV, p. 1044 sq., qui donne la contemplation de la voûte céleste comme cadre à l'éveil du sentiment religieux.

Ce passage peut être lu aussi comme indication de mise en scène : ce lever de soleil est un véritable lever de rideau pour la profession de foi. Avec Jean Starobinski (*La Transparence et l'obstacle*, p. 180), on peut aussi voir dans cet appel initial à l'intuition le symbole de la démarche même du vicaire : montrer plus que démontrer. On évoquera enfin la *République* (on vient de récuser « la vaine apparence »), mais ici nous serions d'emblée hors de la caverne. Pour donner un prolongement à cette remarque, voir Henri Gouhier, « Les tentations platoniciennes de Jean-Jacques Rousseau », in *Les Méditations métaphysiques de Jean-Jacques Rousseau.*

15. On entend bien sûr dans ces premiers mots du vicaire l'écho du *Discours de la méthode*. On l'entendra souvent dans la *Profession de foi*. Rousseau, familiarisé avec Descartes dès les années des Charmettes, s'y réfère pour mieux s'en différencier. Henri Gouhier (« Ce que le vicaire doit à Descartes », in *Annales J.-J. Rousseau, op. cit.*) a étudié cette relation. Il conviendra d'entendre tout aussi bien la résonance des discours piétistes de Marie Huber (*Lettres sur la religion essentielle à l'homme*) qui faisait de la « bonne foi » un critère suffisant de détermination du vrai. Rousseau propose pourtant ici une figure très singulière qui ne substitue pas le cœur à la raison mais fait de l'un le *supplément* de l'autre. C'est en toute rigueur parce que c'est de foi et non de science qu'il va être question que le vicaire n'entend pas convaincre : « Je suis bien plus persuadé que convaincu », dit Rousseau à Dom Deschamps dans la lettre déjà citée (note 12).

« La raison nous est commune, et nous avons le même intérêt à l'écouter. » Cette dernière expression exprime la particularité du « rationalisme de Jean-Jacques Rousseau » : la raison, consciente de son incapacité à se prononcer sur ce qui « nous importe le plus », nous détermine à nous soumettre à la foi, mais celle-ci, loin de s'affranchir de la raison, la prend pour guide et critère. Ignorer cette double articulation conduit aux erreurs les plus fréquentes sur la pensée religieuse de Rousseau.

16. Sur la confession du vicaire, son « crime » et son « défaut », voir notre introduction. La vigueur de la dénonciation du célibat comme exigence contre nature, qu'attestent plusieurs passages de *La Nouvelle Héloïse*, de l'*Émile* et des *Confessions*, n'est pas seulement le reflet de la formation protestante de Rousseau. Il n'y a de vraie vertu que pour celui qui accepte d'être homme. Pierre-Maurice Masson cite un brouillon de *La Nouvelle Héloïse* qui accuse « ces prêtres téméraires qui font vœu de n'être pas hommes. [...] Ils s'abaissent au-dessous des brutes pour avoir dédaigné l'humanité ».

17. Que le texte ici imite le *Discours de la méthode* va de soi. Non seulement le doute nous est présenté comme l'aiguillon nécessaire de la recherche de la vérité, la cohérence des principes comme une

nécessité de l'esprit, mais c'est bien à une sorte de table rase que le vicaire est conduit. On est pourtant loin de Descartes. Ce n'est pas l'insatisfaction d'un esprit avide de connaissances certaines et ordonnées, mais l'exigence morale de principes de vie fiables qui s'exprime ici. Le doute, pour Descartes, est l'impossibilité de se représenter une idée comme certaine; pour le vicaire, de savoir ce en quoi on peut avoir foi. Sortir du doute, pour Descartes, c'est savoir; pour le vicaire, c'est croire. Cette dissymétrie tient, d'une part, au fait que l'un s'inscrit dans une problématique de la connaissance tandis que l'autre se situe dans une perspective morale, d'autre part, à ce que, pour Rousseau, la raison seule n'est pas en mesure de nous sortir du doute. On a dit justement qu'une morale provisoire était, pour Rousseau, impensable : l'urgence de se prononcer porte avant tout sur la morale. Mais la raison essentielle est autre. Pour Descartes, la morale par provision est en attente de celle que la raison ne manquera pas de fonder comme connaissance certaine; Rousseau sait que l'attente serait infinie : nous ne saurons jamais, il nous faut donc décider de croire.

De là, le ton dramatique pris par la représentation de l'état de doute : il ne s'agit pas seulement, ni même d'abord, d'une détermination de l'intellect, mais de l'esprit tout entier, de l'âme. Le sentiment d'urgence qui anime le texte ravive des figures dont il faut bien dire qu'elles sont traditionnelles : la mer des opinions et le fragile esquif humain ne manquent pas de répondants anciens (en particulier chez les stoïciens) ou modernes (Locke, Condillac, Bossuet). Nous sommes bien dans l'ordre du sermon. Sur ce thème, bien qu'il n'aborde pas Rousseau, voir l'étonnant Hans Blumenberg, *Naufrage avec spectateur*, Francfort, 1979; Paris, 1994.

18. On peut voir ici un effet de l'opposition entre le caractère fini de notre entendement et le caractère infini de notre volonté. Mais il ne faut pas s'y méprendre : Rousseau ne fait pas de la limitation de notre pouvoir de connaître un motif d'y renoncer, mais l'exigence de « savoir ce que nous pouvons savoir ». Serait-ce excessif de dire que ce texte, parti de Descartes, dérive vers Kant? On remarquera que la problématique ici esquissée se rapproche des antinomies de la raison pure.

Une longue diatribe contre « les philosophes » encadre ce passage et reviendra comme un leitmotiv tout au long de la *Profession de foi*; c'est aller un peu vite que de l'interpréter comme expression d'une prétendue misologie de Rousseau : depuis le *Premier Discours*, et plus encore la préface du *Narcisse*, la polémique contre « les philosophes » est constitutive de sa philosophie.

19. Figure comparable à celle décrite à la note 15. La référence à Descartes (« repassant dans mon esprit les diverses opinions », etc.) est explicite — mais c'était devenu un lieu commun que de faire table rase de tous les systèmes pour ne se fonder que sur son jugement. Ce sont les déplacements opérés par Rousseau qui importent ici : l'intérêt (au sens de ce qui nous « importe ») prend ici la place du critère de l'évidence, et la remise en question porte sur la recherche avant de porter sur les réponses à donner. Une rédaction

primitive disait : « Borner mes recherches aux seules connaissances nécessaires au bonheur et à l'espoir de ma vie. » La « lumière naturelle » aurait alors pour fonction de nous indiquer ce qui véritablement nous importe. À en rester là, Rousseau s'inscrirait simplement dans la lignée du pragmatisme piétiste qui, comme Marie Huber, oppose la « spéculation » à « l'action » ou, comme Muralt (l'auteur de l'*Instinct divin*), exige que toute connaissance contribue à « nous faire faire la tâche pour laquelle nous sommes mis au monde ». Mais Rousseau, contrairement aux piétistes, ne substitue pas le sentiment à la raison : celle-ci est constitutive de la « lumière naturelle » qui exige aussi bien « le silence des passions » que celui des « préjugés ». On se reportera à ce sujet à la page décisive de la lettre à M. de Franquières du 15 janvier 1769.

20. L'énumération des « systèmes » évoqués par Rousseau n'a elle-même rien de systématique, et il serait vain de chercher à la décoder, même si on peut penser à Épicure et à Gassendi pour les atomes et voir Diderot derrière le terme de « matière vivante ». Le choix de Clarke, en revanche, est fortement justifié. Clarke avait publié en 1705 deux ouvrages, *A Discourse Concerning the Being and Attributes of God* et *The Verity and Certitude of Natural and Revelated Religion*, traduits en 1727 par Ricotier sous le titre unique et interminable de *Traités de l'existence et des attributs de Dieu, des devoirs de la religion naturelle et de la vérité de la religion chrétienne*. La clarté de l'énonciation et la forme démonstrative donnée au raisonnement faisaient de l'ouvrage de Clarke un antidote théiste à Spinoza. Son succès fut immense tout au long du siècle : L'*Encyclopédie* à l'article *Dieu* en fait un modèle d'évidence et d'ordre ; Diderot le cite en s'adressant à Catherine II comme ouvrage majeur de métaphysique ; Voltaire, dans le *Dictionnaire philosophique*, le juge « le plus clair, le plus méthodique et le plus fort de tous ceux qui ont parlé de l'Être suprême ».

Dans une première rédaction, Rousseau faisait référence à Clarke « annonçant au monde le vrai théisme et la religion naturelle ». Un peu plus loin, il affirmait que le « système de Clarke [...] doit être préféré par la raison ». La rédaction définitive qualifie sa pensée de « la plus simple et la plus raisonnable ». C'est à Clarke, qui raisonne et argumente, que le vicaire demande de patronner sa profession de foi, non aux piétistes qu'on voudrait parfois lui donner pour modèles. Ni le vicaire ni Rousseau n'ont à aucun moment congédié la raison, et c'est une singulière inconséquence que d'en faire le reproche à Rousseau dans la démarche proprement spéculative qui va être la sienne.

21. On peut voir, ici encore, une référence à Descartes, même si le décalage entre les deux auteurs donne à cette unique règle de la méthode un contenu bien éloigné de celui des règles du *Discours*. Dans une longue note sur la notion d'évidence, P.-M. Masson cherche à inscrire Rousseau dans un « courant de pensée » anticartésien (dont un représentant majeur serait l'abbé Pluche, auteur d'un *Spectateur de la nature* et d'une *Histoire du ciel*, ouvrages que Rousseau avait beaucoup lus aux Charmettes), substituant à l'évi-

dence de l'intellect celle du cœur. La démonstration de P.-M. Masson repose tout entière sur sa lecture de la notion de lumière ou sentiment intérieur (à ce sujet, voir les notes précédentes) et passe sous silence qu'au principe du « consentement » est associé celui de la « liaison nécessaire », c'est-à-dire du raisonnement : on ne saurait donner une lecture d'un des principes qui constituent la règle de la méthode de Rousseau qui soit incompatible avec l'autre.

22. L'articulation du raisonnement est essentielle : le vicaire a retracé comment toutes ses connaissances et opinions ont été emportées par le doute. Il a dit sa décision de reprendre son examen, sans autre principe que sa « lumière intérieure ». Il lui faut donc d'abord montrer la capacité de celle-ci à juger. Ce qu'il va faire. C'est donc de ce qu'il faut entendre par « sentiment intérieur » qu'il va être ici question.

23. « J'existe, *et* j'ai des sens par lesquels je suis affecté. » La formulation implique la solution du problème que Rousseau va poser : le *sentiment* de mon existence et la *sensation* des choses extérieures sont distincts. Plus précisément encore : le sentiment du moi est le fond même du sentiment intérieur, et il est la condition de possibilité de la sensation. Selon une méthode qui lui est familière (voir par exemple *Du contrat social*, livre I, chap. II), Rousseau feint de reprendre à son compte un lieu commun (là, la famille comme première société, ici, le sensualisme dominant du siècle) pour mieux le remettre en question.

24. Sur ce point, réponse à l'emporte-pièce à Berkeley, Rousseau suit l'avis même de Condillac, pour qui la réalité des sensations rend secondaire la question de celle des objets de ces sensations.

25. Rousseau prend ici le contre-pied du courant dominant de son siècle qui venait de trouver avec la publication de *De l'esprit* d'Helvétius (1758) une de ses formulations les plus radicales. Il a lu et annoté l'ouvrage entre deux rédactions de la *Profession de foi*, P.-M. Masson l'a montré de façon convaincante. Ces pages reflètent cette lecture. Il pense aussi en argumentant à l'article « Évidence » de l'*Encyclopédie* qu'il estime être l'œuvre d'un « fort métaphysicien » et qu'on attribue généralement à Quesnay. Y a-t-il ici un changement dans la pensée de Rousseau ? On peut en douter : les analyses du *Second Discours* sur le langage allaient déjà en ce sens. Faut-il y voir l'influence d'un courant « néomalebranchiste » animé par les oratoriens ? Peut-être, encore que l'on puisse plutôt voir là une anticipation : Rousseau n'affirme pas seulement dans son argumentation le caractère actif de l'esprit et la nécessaire participation de la volonté au processus de la connaissance, il insiste surtout sur le caractère synthétique de l'acte de juger. C'est là peut-être que réside sa nouveauté.

Le rapprochement des formulations est trop net et trop surprenant pour qu'on ne cite pas Marx (*Thèses sur Feuerbach*, première thèse) : « Le principal défaut de tout matérialisme jusqu'ici [...] est que l'objet extérieur, la réalité, le sensible, ne sont saisis que sous la forme d'objets ou d'intuition. C'est pourquoi en opposition au matérialisme l'aspect actif fut développé de façon abstraite par l'idéalisme [...]. »

26. Helvétius (*De l'esprit*, livre I, chap. I) : « Cette capacité [d'apercevoir les ressemblances ou les différences] n'est que la sensibilité physique même. » Rousseau, en marge : « Voici qui est plaisant ! Après avoir légèrement affirmé qu'apercevoir et comparer sont la même chose, l'auteur conclut en grand appareil que juger, c'est sentir. La conclusion me paraît claire, mais c'est de l'antécédent qu'il s'agit. » Cf. OC III, p. 1122.

27. Rousseau réunit ainsi le sentiment intérieur de l'existence et la capacité de mise en rapport qu'exprime la copule (a *est* b).

28. La formule se retrouve presque mot pour mot chez Kant dans les *Prolégomènes à toute métaphysique future qui voudra se présenter comme science*. La référence à La Condamine (*Relation abrégée d'un voyage fait dans l'intérieur de l'Amérique méridionale*, Paris, 1745) est chez Helvétius, dans les pages mêmes que Rousseau commente ici.

29. C'est à l'article « Évidence » que Rousseau répond : « L'être sensitif distingue les sensations les unes des autres par les différences que les sensations elles-mêmes ont entre elles. » Il le suit longuement, presque terme à terme.

30. *Attention* renverrait à Condillac (*Traité des sensations*, I, VII, § 2), *méditation* à Descartes, *réflexion* à Locke (*Essai sur l'entendement humain*, II, I, § 2-5). On remarquera en tout cas que les termes retenus impliquent simultanément une démarche volontaire et une opération réflexive. Voir note suivante.

31. C'est une démarche proprement rationaliste que Rousseau vient de conduire, en opposition au matérialisme sensualiste d'Helvétius ; elle trouve son bilan dans l'expression « je ne suis donc pas simplement un être sensitif et passif, mais un être actif et intelligent ». Or, le développement s'achève sur ces mots : « Ainsi ma règle de me livrer au sentiment plus qu'à la raison est confirmée par la raison même. » Faut-il être surpris de cette conclusion ? Sans doute pas, si l'on se souvient de la distinction entre sentiment et sensation et si l'on prend en compte que la raison visée est dans le premier emploi du terme la « raison raisonneuse ». Faut-il pour autant, comme Henri Gouhier (cf. « Ce que le vicaire doit à Descartes », in *Annales J.-J. Rousseau, op. cit.*), voir ici un pur retour à l'opposition cartésienne entre volonté et entendement ? Ne serait-ce pas rompre l'unité du « sentiment intérieur » tel que l'entend Rousseau ? Voir notes 22 et 30.

32. Rousseau s'engage avec son vicaire dans une sorte de « passage obligé » au regard de la culture du temps dans lequel il n'est manifestement pas fort à son aise. C'est, en revanche, une terre d'élection pour Diderot. Voir ses *Pensées sur l'interprétation de la nature* et son *Commentaire sur Hemsterhuis*.

33. C'est une présentation alors classique du principe d'inertie. Elle prépare ici la distinction de la matière et du mouvement.

34. Rousseau s'est adonné très tôt à la chimie : il avait même, en 1737, manqué perdre la vue, voire la vie, dans un accident de manipulation aux Charmettes, *Confessions*, livre V, OC I, p. 118. Il avait plus tard, en 1747, rédigé un volume d'*Institutions chymiques*. La

note de Rousseau renvoie à la théorie de Stahl, en vigueur jusqu'à la fin du siècle, qui rendait compte du feu par la libération d'une substance commune à tous les combustibles : le phlogistique. Sur l'histoire du phlogistique, H. Metzger, *Newton, Stahl, Boerhave et la doctrine chimique* (1re éd., 1930), Paris, Blanchard, 1974; B. Bensaude-Vincent et I. Stengers, *Histoire de la chimie*, Paris, La Découverte, 1993, chap. x.

35. On voit clairement que la discussion physique n'est pas le vrai registre de Rousseau : la notion de spontanéité est immédiatement repliée sur celle de volonté. Lorsqu'il dit « je le sens », ce n'est pas tant le mouvement qui est objet de sensation que la volonté qui est saisie par le sentiment interne. Et ce sentiment ne se distingue pas de celui de l'existence.

La spontanéité, accordée par « analogie » aux animaux, l'est évidemment en opposition à Descartes; en cela, Rousseau suit le mouvement de son temps : Condillac (*Traité des animaux*) disait du « sentiment de Descartes sur les bêtes » qu'il ne lui restait « guère de partisans ». Pour autant Rousseau se garde de leur accorder une âme. Voir sur ce sujet la discussion dans les *Annales Jean-Jacques Rousseau, op. cit.*, vol. XXXV, p. 155 sq.

36. C'est avant tout La Mettrie, dont le *Traité de l'âme* date de 1745 et *L'Homme-machine* de 1748, qui est visé ici.

37. Tout au long de ce paragraphe, Rousseau s'oppose à Diderot (*Pensées sur l'interprétation de la nature*) dont les formules, « grand animal » (Pensée L), « molécules vivantes » (Pensée LVIII, 12), sont reprises. Il s'inscrit ainsi clairement dans la mouvance vitaliste qui refuse la continuité de l'organique et de l'inorganique et pose un principe vital comme organisateur du vivant.

Un autre éclairage peut être donné par le *Contrat social*, livre I, chap. v. Le modèle organique y fonctionne comme métaphore : la volonté fait l'unité du corps social comme la vie assure la cohésion (ici un arbre que le feu réduit en cendres). Il faudrait alors voir ici moins un vitalisme qu'un « volontarisme ». Et le modèle politique formerait le modèle naturel plutôt que l'inverse.

Commentant « la main qui la fait tourner », P. Burgelin parle d'anthropomorphisme. L'expression en est si volontaire que la catégorie d'analogie (voir plus haut) conviendrait peut-être mieux.

38. Pour Descartes, *Principes de la philosophie*, partie III. La critique de Rousseau reprend Pascal : « Descartes aurait bien voulu pouvoir se passer de Dieu, mais il n'a pu s'empêcher de lui faire donner une chiquenaude pour mettre le monde en mouvement; après cela, il n'a plus que faire de Dieu » (Pensée 77 dans l'édition Brunschvicg). Pour Newton, Rousseau se sert de l'exposé de Voltaire (*Éléments de la philosophie de Newton mis à la portée de tout le monde*, 1738), qui d'ailleurs examine également le texte des *Principes*.

39. Il faut souligner le biais de la démarche : sous les apparences d'une discussion quasiment routinière sur le *premier moteur* (dont la bibliographie, depuis Aristote, serait pléthorique), c'est en fait une *volonté* fondatrice que Rousseau veut mettre en évidence. Est saisis-

sante à cet égard la formulation : « D'effets en effets, il faut toujours remonter à quelque volonté pour première cause. » Dieu n'est pas d'abord une force ou une puissance, mais une volonté.

40. Sur le « dualisme » de Rousseau, cf. notre Introduction.

41. Ici une série de « passages obligés ». La critique de l'abstraction est un lieu commun du siècle. L'argumentation antiatomiste, dirigée contre la théorie épicurienne du clinamen ou ses équivalents modernes, est empruntée à Fénelon (*Démonstration de l'existence de Dieu*, 1713). L'argument proprement cosmologique, à savoir que l'ordre du monde est le signe d'une intelligence ordonnatrice, n'est pas plus original (depuis Descartes, le mécanisme de la montre est usé), mais il permet d'aller vers la singularité des choses (la brebis, l'oiseau, les feuilles) et Rousseau s'y trouve dans son élément. C'est d'ailleurs le thème le plus constant de sa pensée religieuse. Bien aride dans les passages qui précèdent et sentent leur traité, le propos va prendre de l'ampleur, le vicaire retrouvant les tropes du sermon et Rousseau ceux du discours.

42. Cette tératologie puise ses racines dans les cosmogenèses les plus anciennes. Empédocle en est une figure majeure. Par exemple, ce fragment cité par Aristote (*De caelo*, III, 2, trad. Dumont, in *Les Présocratiques*, Bibliothèque de la Pléiade, 1988) :

> De la terre poussaient nombreuses têtes, mais sans cou,
> Et erraient des bras nus et dépourvus d'épaules,
> Et des yeux flottaient non amarrés au front.

Les épicuriens en avaient développé la thématique (Lucrèce, *De natura rerum*, chant V, vers 835 sq.). Les premières hypothèses transformistes réactivent ce fond. Voir La Mettrie (*Système d'Épicure*) et surtout Diderot (*Pensées sur l'interprétation de la nature*, Pensée LVIII).

43. C'est encore à Diderot que répond la discussion sur le calcul des chances. Il avait avancé l'argument (*Pensées philosophiques*, XXI) selon lequel « la quantité des jets est infinie, c'est-à-dire que la difficulté de l'événement est plus que suffisamment compensée par la multitude des jets ». Rousseau avait consacré un long paragraphe de sa *Lettre à Voltaire sur la providence* à discuter ce passage qu'il considère comme intellectuellement fort, mais ne touchant pas le moins du monde son sentiment intérieur.

La note sur les homoncules montre, s'il était besoin, que cette figure chère à la Renaissance poursuivait sa carrière. Amatus le Portugais, alias Joannes Rodericus, était un médecin juif du XVe siècle ; Paracelse (1493-1541), médecin alchimiste des plus célèbres, inspire encore Marie Shelley dans son *Frankenstein*.

44. Toute une littérature apologétique voyait dans l'étude des phénomènes naturels l'occasion d'une argumentation finaliste inépuisable. Bernard Nieuwentyt (1654-1718) était un médecin hollandais. Il avait publié en 1716 un ouvrage en trois parties, traduit en anglais, puis de cette langue en français (1725), sous le titre *L'Existence de Dieu démontrée par les merveilles de la nature, où l'on traite de la structure du corps de l'homme, des éléments, des astres et de leurs divers effets*. L'ouvrage eut d'abord un succès immense, y

compris chez les philosophes. Rousseau aux Charmettes en faisait ses délices, Diderot dans les *Pensées philosophiques* le range parmi les physiciens, Voltaire en faisait grand cas. Avec le temps, pour des raisons diverses, le jugement se fit plus critique. Ce n'est pas le renvoi à une cause finale que récuse ici Rousseau, bien sûr, mais le fait de chercher la finalité dans le particulier alors que c'est dans la totalité qu'elle éclate. C'est « le tout » qu'il faut considérer.

45. La forme première de l'argument finaliste était : l'univers est fait pour l'homme, qui est son centre. La révolution copernicienne, substituant l'héliocentrisme au géocentrisme, privait le finalisme de son argument essentiel. Rousseau, par cette idée de multicentre, surdétermine l'idée d'univers par celle de finalité harmonique. Le cercle et la sphère ont une place essentielle chez Rousseau, pas seulement métaphorique, mais aussi théorique. Voir son *Traité de sphère* (OC V, p. 585-601).

46. Pierre Burgelin voit dans ce passage une référence directe à la pensée XXXVI des *Pensées sur l'interprétation de la nature*; si tel est le cas, on ne peut que constater le décalage entre la technicité et la complexité du modèle élaboré par Diderot et l'argumentation volontairement élémentaire de Rousseau.

47. Pierre-Maurice Masson emploie ici, pour caractériser le propos du vicaire, une formule (« indifférence spéculative ») dont l'ambiguïté fait problème. Si on doit entendre indifférence à la spéculation, c'est-à-dire à l'exercice de la raison raisonneuse sur ce qui ne nous importe pas, l'idée est juste. S'il s'agit en revanche d'un renoncement à la connaissance rationnelle, le texte le dément : « je le sens, et cela m'importe à savoir ». Ce que le sentiment intérieur me dit, je dois avec l'aide de ma raison chercher à le connaître. C'est parce que ce qu'il dit est pour lui encore un *sentiment* que le vicaire l'*expose*; on n'*enseigne* que ce que l'on *sait*. Il y a là le principe rhétorique de la profession : c'est une *exposition*.

48. La théologie du vicaire, comme on vient de voir, se réduit à fort peu de chose. Mais, précisément, s'agit-il d'une théologie? Au sens strict, non. Théologien est celui qui entend dire ce qu'est Dieu. La raison nous interdit de prétendre à cette connaissance. Mais le sentiment que nous avons de notre rapport avec Dieu est une évidence qui s'impose à cette même raison et peut la forcer à raisonner sur ce rapport. Dans sa *Lettre à Christophe de Beaumont* (OC IV, p. 956-958), on voit très logiquement Rousseau justifier successivement le vicaire de son refus de poser l'idée de création, comme excédant le pouvoir de notre raison, et rétorquer à l'archevêque de Paris : « Vous avez tort d'avancer que l'unité de Dieu me paraît une question oiseuse et supérieure à la raison puisque, dans l'écrit que vous censurez, cette unité est établie et soutenue par le raisonnement. »

49. On a vu (note 45) par quel renversement Rousseau tentait de donner un nouveau statut à l'argument finaliste. Cette démarche se prolonge ici au sujet de l'anthropocentrisme. De Spinoza à Helvétius, en passant par Pope et Voltaire, la liste serait longue des textes ici visés qui ironisent sur le narcissisme humain; aussi nombreux

(Abbadie, Clarke, Fénelon...) sont ceux, cités par P.-M. Masson, qui prétendent fonder une apologétique sur une vision anthropocentriste de l'univers. L'argument de Rousseau en diffère : il ne dit pas tant que l'univers est fait pour l'homme, mais que l'homme est fait pour l'univers. Plus précisément, il est fait pour le tout de l'univers ; aussi bien parce qu'il peut « agir sur *tous* les corps », parce qu'il a « inspection sur le tout », que parce qu'il a le sentiment de l'auteur de ce tout. Cet anthropocentrisme de second degré coïncide avec le finalisme de second degré déjà signalé. L'apostrophe finale s'adresse à Helvétius qui est pour Rousseau l'exemple même de l'incrédule honnête homme (voir note 6).

50. Rousseau renvoie ici aux premières pages du livre IV de l'*Émile*, OC III, p. 491-492 ; GF, p. 275-276 (citées dans notre Introduction, p. 37). Déjà au livre II, OC IV, p. 322 ; GF, p. 111, il avait affirmé : « La seule passion naturelle à l'homme est l'amour de soi-même ou l'amour-propre pris dans un sens étendu. »

Il est juste de souligner que Rousseau refuse (comme Vauvenargues, *Introduction à la connaissance de l'esprit humain*, XXIV) de confondre l'amour-propre, dégradation de l'amour de soi par l'opinion, et le véritable amour de soi. Sans doute se démarque-t-il ainsi de tout un courant de réhabilitation de l'amour-propre qui trouve son expression chez La Rochefoucauld, mais plus encore dans la lecture qu'en fait Helvétius (*De l'esprit*, discours I, chap. IV). Dès le *Second Discours*, OC III, p. 219 ; GF, p. 212, il avait fermement opposé les deux notions. L'essentiel est cependant dans le refus (délibérément antiaugustinien et antijanséniste) d'opposer amour de soi et amour de Dieu. Plus profondément encore, c'est l'idée de renoncement à soi qui est foncièrement étrangère à Rousseau. La vertu morale et l'amour de Dieu non seulement sont compatibles avec l'amour de soi, mais en découlent. La *Profession de foi* est en plein accord avec le *Contrat social*, livre I, chap. II : « Sa première loi est de veiller à sa propre conservation, ses premiers soins sont ceux qu'il se doit à lui-même. » Voir aussi tout le chapitre IV.

La longue lettre à M. d'Offreville, du 4 octobre 1761, peut à cet égard être lue comme un complément précieux de la *Profession de foi* ; Rousseau y soutient la thèse que « tout homme n'agit [...] que relativement à lui-même et que, jusqu'aux actes de vertu les plus sublimes, jusqu'aux œuvres de charité les plus pures, chacun rapporte tout à soi. » Il justifie en cela l'idée d'une morale de l'intérêt : « Il y a un autre intérêt qui ne tient point aux avantages de la société, qui n'est relatif qu'à nous-mêmes, au bien de notre âme, à notre bien-être absolu, et que pour cela j'appelle intérêt spirituel ou moral. »

51. Rousseau passe bien vite sur un thème si central de l'apologétique (le problème du mal) et le limite immédiatement au mal dont l'homme est l'auteur. Ce choix est motivé : le contraste entre l'ordre naturel et le désordre humain est acquis dans l'œuvre de Rousseau depuis les deux *Discours* et dans l'*Émile* depuis les premières lignes : « Tout est bien, sortant des mains de l'auteur des choses : tout dégénère entre les mains de l'homme » (OC III,

p. 245 ; GF, p. 35) ; la démonstration du second point (réduction du mal à l'effet de l'action de l'homme) sera rappelée plus bas. Rousseau, d'une rédaction à l'autre, hésita à passer ici aux « sublimes idées de Dieu » ou aux « sublimes idées de l'âme ». La décision est logique : ce n'est pas en Dieu ni dans la nature, mais en l'homme qu'il faut chercher l'origine du mal.

Rousseau se heurte ici à un problème qui est peut-être le plus épineux pour lui. Placer l'origine du mal dans l'ordre du monde, c'est contredire à l'idée de la nature comme tout harmonique et à celle de Dieu comme puissance bienfaisante et ordonnatrice. L'enraciner en l'homme, c'est ruiner l'aspiration à l'unité qui anime toute sa pensée. Tout l'effort va consister à rendre compte de ces « contradictions *apparentes* ». Rousseau résoudra cette difficulté plus loin ; voir note 73.

52. Peut-on, au regard de ces lignes, parler d'un dualisme de Rousseau ? Le vicaire reconnaît deux « principes distincts » dans la « nature » de l'homme : la raison, les passions. Il refuse, reprenant la démonstration conduite plus haut (voir note 40), d'unifier matière et pensée. Mais il n'articule pas ces oppositions l'une sur l'autre, ce qui impliquerait une représentation dualiste de la nature de l'homme à laquelle il répugne.

Le recours à la catégorie de substance lui a sans doute paru un temps le moyen de sortir de ces apories. Il s'était essayé à de longs développements sur cette notion (OC III, p. 216 sq.). La *Profession de foi* en conserve ici la trace.

53. Si c'est à Locke (*Essai sur l'entendement humain*, IV, III, § 6), qui évoquait l'idée de matière pensante, que renvoie le texte, la note, rajoutée après la lecture de l'ouvrage *De l'esprit*, fait référence à la longue discussion sur le concept de matière qui figure au chapitre IV du *Premier Discours*. C'est Helvétius que Rousseau cite encore : « Il n'y a dans la nature que des individus auxquels on a donné le nom de corps. » Et Helvétius, sans doute, a lu Spinoza.

54. L'image du sourd provient de Clarke. Rousseau le musicien ne pouvait qu'y être sensible. Voir le *Dictionnaire de musique* à l'article « Consonance » et surtout « Unisson » (OC V, p. 1140 sq.). On citera ce dernier, tant il suggère l'importance que ce modèle peut avoir pour Rousseau (voir plus bas, note 127) : « C'est une observation courante de tous les musiciens que celle du frémissement ou de la résonance d'une corde au son d'une autre corde, montée à l'unisson de la première. [...] Voici comment on explique ce phénomène : le son d'une corde A met l'air en mouvement. Si une autre corde B se trouve dans la sphère du mouvement de cet air, il agira sur elle. [...] Les deux cordes marchant ainsi de pas égal, toutes les impulsions que l'air reçoit de la corde A et qu'il communique à la corde B sont coïncidentes avec les vibrations de cette corde. [...] Alors la corde B rendra du son [...] et ce son sera nécessairement à l'unisson de celui de la corde A. »

55. La volonté vient ici trouver la place centrale qui est virtuellement la sienne, depuis le début de la réflexion du vicaire (voir notes 25 et 30). C'est la liberté de ma volonté qui est l'objet du sen-

timent intérieur. Le mouvement de la pensée est strictement parallèle à celui du *Contrat social*, jusqu'à la « dépravation » qui n'est rien d'autre que le fait de « perdre sa qualité d'homme ».

56. La pensée de Rousseau trouve ici une clarification majeure dans l'assimilation qu'il fait de la volonté et de l'entendement. Il pense leur unité comme « puissance de juger ». Le « sentiment intérieur » est-il autre chose? La conscience?

57. C'est toujours Helvétius que reprend Rousseau, toujours le même chapitre qu'il suit de très près. Après avoir montré les méfaits « de l'abus des mots » d'amour-propre, de matière, d'infini, Helvétius traite de la liberté : « Un traité philosophique de la liberté ne serait qu'un traité des effets sans causes. [...] Il faudrait que nous puissions tous vouloir également le bien ou le mal... »

58. L'argument ne diffère guère de la tradition apologétique : Dieu, auteur de notre liberté, ne l'est pas de l'usage que nous en faisons. L'homme seul porte la responsabilité du mal. Mais il peut prendre une autre signification : la liberté de la volonté, qui, elle, est de la nature de l'homme, est bonne en elle-même; c'est l'usage dépravé que les hommes en font qui est mauvais. Il n'y a pas de « contradiction dans notre nature ». Il y a là le moyen d'échapper au dualisme (voir note 52).

59. « La suprême jouissance est dans le contentement de soi-même. » Il n'y a pas plus constante affirmation chez Rousseau. La lettre à Mme de B(erthier), du 17 janvier 1770, en donne une des expressions les plus fortes : « Tout le bonheur que nous voulons tirer de ce qui nous est étranger est un bonheur faux. [...] Ce sens moral, si rare parmi les hommes, ce sentiment exquis du beau, du vrai, du juste, qui réfléchit toujours sur nous-mêmes, tient l'âme de quiconque en est doué dans un ravissement continuel qui est la plus délicieuse des jouissances. » Il y a là tout à la fois un trait psychologique et un principe moral (la vertu est à elle-même sa propre récompense).

60. La notion d'abus, centrale dans l'anthropologie de Rousseau, rend compte de ce qu'une nature bonne, parce que au lieu d'être fixe elle est perfectible, peut connaître la dépravation. Voir note 58; voir également *Du contrat social*, livre I, chap. VIII. Le parallélisme des textes est frappant : limité à l'instinct, l'homme serait resté une bête, la raison en fait « un être libre et un homme », cependant que l'abus de ces facultés le fait retomber en dessous de sa condition première. Il n'y a donc aucun lieu de s'étonner que la glorification de la raison et de la liberté humaine soit suivie de l'énoncé de leurs méfaits.

61. Cette avalanche d'arguments consiste soit à relativiser un mal, soit à montrer qu'il est un bien, soit à en rendre l'homme responsable.

Il n'y a pas de mal général, mais un mal particulier dont l'homme est l'auteur. Cf. la *Lettre à Voltaire sur la providence*, OC IV, p. 1059 sq. Il faut « distinguer avec soin le mal particulier, dont aucun philosophe n'a jamais nié l'existence, du mal général que nie l'optimiste [...] au lieu de *Tout est bien*, il vaudrait peut-être mieux dire : *le Tout est bien* ou *Tout est bien pour le tout* ». Si Rousseau revient à la rédaction commune, c'est que le sens en est désormais clairement fixé.

62. La séquence puissance-bonté-justice ainsi établie est de fait commandée par la notion d'ordre sous laquelle Rousseau pense Dieu, son action, son œuvre. Que la bonté procède de la puissance (cf. la note de Rousseau) tient à ce que la puissance s'entend comme capacité d'ordonner. Voir plus bas : « La bonté de Dieu est l'amour de l'ordre. » Une puissance qui désordonnerait est une notion contradictoire. Une force peut détruire. Mais Rousseau ne confond pas force et puissance.

« Dieu n'est pas le Dieu des morts » est une citation des Évangiles : « Il n'est pas le Dieu des morts mais des vivants », Marc, 12, 27 ; « car tous sont vivants pour lui », ajoute Luc, 20, 38.

63. L'exemple de Brutus est un véritable *topos* des considérations sur la morale. Rousseau venait encore de lire dans Helvétius (*De l'esprit*, Discours III, chap. XIX) : « En ces temps malheureux, on pouvait s'écrier à Rome, avec Brutus : *Ô vertu! tu n'es qu'un vain nom.* »

64. Plutarque, *Que l'on ne saurait vivre joyeusement selon la doctrine d'Épicure*, § 59, in *Œuvres morales* (voir bibliographie, sources de Rousseau).

65. Tout ce passage sur le bonheur ou la souffrance du juste est exemplaire de la démarche de Rousseau. Il reprend une problématique dont le Livre de Job est l'expression la plus forte. Quel désordre plus radical, quel mal plus inexplicable que la souffrance de l'innocent? La théologie répond communément que la foi se mesure à l'acceptation de tout ce qui vient de Dieu, y compris le mal. Rousseau renverse l'argument qui de réfutatif devient probant : « le triomphe du méchant et l'oppression du juste » sont « l'état des choses » de ce monde, il en *faut* donc un autre qui compense. *Il faut croire en ce qui doit être vrai.*

66. Il y a ce que je puis connaître par ma raison, ce que je puis croire parce que raisonnable, et ce qui est hors de portée de mon esprit. C'est dans l'espace intermédiaire que se développe la *Profession de foi.*

67. Le châtiment et la récompense ne sont rien d'autre que la saisie de « l'identité du moi » par le « sentiment interne », désormais libre de toute autre attache.

68. On ne peut s'empêcher de voir quelque décalage entre le psaume cité en note et l'idée selon laquelle Dieu doit aux hommes « tout ce qu'il leur promit en leur donnant l'être ». La traduction donnée est celle qui était en vigueur à Genève dans l'enfance de Rousseau. La *Lettre à d'Alembert sur les spectacles*, OC V, p. 57 ; GF, p. 136, vante « l'harmonie forte et mâle » de la musique de Goudimel sur laquelle on chantait les psaumes à quatre voix.

69. Le vicaire, comme Mme de Warens (*Confessions*, livre VI, OC I, p. 229 ; GF, vol. I, p. 269), ne croit ni aux peines éternelles ni à l'enfer. « Elle ne savait que faire de l'âme des méchants [...] et il faut avouer qu'en enfer et dans ce monde et dans l'autre les

méchants sont toujours bien embarrassants. » Dans les deux textes, Rousseau en infère également le refus du péché originel.

70. L'insistance sur l'incapacité de notre esprit à concevoir l'essence de Dieu a une double fonction : d'un côté, elle est affirmation de transcendance, Dieu nous échappe parce que étant d'un autre ordre; de l'autre, elle ruine les prétentions théologiques.

71. Intelligence, puissance, bonté, justice : les attributs de Dieu sont *découverts* par la raison qui éclaire le sentiment intérieur; mais l'essence de Dieu m'est inconcevable, inconnaissable, je ne puis que sentir son existence. La raison *s'anéantit* : le paradoxe du pronom réfléchi marque bien l'articulation.

72. La partie proprement « dogmatique » de la *Profession de foi* est terminée, nous sommes allés aussi loin que possible vers l'idée de Dieu, c'est à la pratique que nous allons passer. On notera la netteté du résumé de la démarche : les points de départ ont été la *sensation* (« impression des objets sensibles ») et le *sentiment* (« évidence de mon identité »), le cheminement a été de nature *déductive*, mais circonscrit au domaine de ce qu'il *importe* de connaître.

73. « Le premier de tous les soins... », ce sont les termes mêmes du *Contrat social*, déjà cités note 50. Il s'agit ici de rendre compte du mal fait par l'homme, sans détruire l'unité et la bonté de la conscience (voir notes 51 et 52). Rousseau y parvient en opposant la spontanéité du sentiment intérieur (le cœur) et l'action sur nous des sens, qui peut leurrer son jugement. Mais cela ne peut se faire qu'au prix d'un déplacement de la notion de passion, définie comme affection corporelle. C'est sans doute sur ce point que la continuité de la pensée de Rousseau est la plus difficile à saisir.

74. Le rapport entre le texte et la note est surprenant : l'audace véritable est de définir la conscience comme un instinct; or c'est à se justifier de parler d'un instinct animal que Rousseau s'emploie. Sur ce dernier point, c'est à Condillac (*Traité des animaux* II, 5 : « L'instinct n'est que cette habitude privée de réflexion ») que la note répond. Mais suivons l'analogie : ce que l'instinct est à l'animal (au corps), la conscience l'est à l'homme (à l'âme). Quelle est la place de la raison ? Celle de l'habitude. La raison est l'effet produit par la culture sur notre aptitude naturelle à juger, cela était déjà clair dans le *Second Discours*. C'est pourquoi elle est ambivalente. Tantôt le vicaire se félicite du « bon usage de ma raison », tantôt il se méfie de la raison raisonneuse qui « trop souvent nous trompe ». La raison peut se confondre avec la conscience, alors on a « je suis actif quand j'écoute la raison, passif quand mes passions m'entraînent », ou s'opposer à elle : « Mais la conscience ne trompe jamais. »

75. Ici Rousseau va reprendre le texte des *Lettres à Sophie*, appelées aussi *Lettres morales* (OC III, p. 1079 sq.). Après avoir écrit « toute la moralité de la vie humaine est dans l'*intention* de l'homme », il rectifie par « dans la *volonté* de l'homme », et enfin choisit *jugement*. La définition choisie est bien pesée : elle indique qu'on « se rend à soi-même témoignage », et elle implique la volonté réfléchie d'où résulte le jugement.

76. L'opposition à Hobbes est aussi claire que vague. Elle a sur-

tout pour fonction d'introduire au développement sur la bonté naturelle de l'âme. Nul n'est méchant volontairement. La proximité avec Socrate ne doit rien au hasard. Voir Henri Gouhier, *Les Méditations métaphysiques de J.-J. Rousseau, op. cit.*

77. Rousseau va se souvenir d'assez près de la *Lettre à d'Alembert sur les spectacles*.

78. C'est Helvétius qui est visé. Toute une partie de l'argumentation qui suit lui est adressée et a été ajoutée dans les dernières rédactions. Le risque est grand de contresens, si l'on ne se souvient pas de la distinction entre amour de soi et amour-propre, entre intérêt matériel et moral (voir note 50). Rousseau reproche à Helvétius précisément de ne pas vouloir ou de ne pas savoir faire ces différences.

Helvétius affirmait : « L'intérêt préside à tous nos jugements. » Il précisait en note : « Le vulgaire restreint communément la signification de ce mot *intérêt* au seul amour de l'argent ; le lecteur éclairé sentira que je prends ce mot dans un sens plus étendu, et que je l'applique généralement à tout ce qui peut nous procurer des plaisirs ou nous soustraire des peines » (*De l'esprit*, Discours II, chap. I.) Tout le second discours de Helvétius est consacré à défendre cette thèse.

79. Nous sommes dans l'état civil, le pouvoir de punir et le devoir de protéger sont sous l'autorité des lois.

80. La rédaction oscille entre la peinture de type comme celle du sage « content de soi » (voir note 59) et celle du méchant insatisfait, et le portrait à charge ou l'autoportrait satisfait. Pour chaque figure, de multiples textes des *Confessions* pourraient être invoqués.

81. C'était un lieu commun que d'opposer la barbarie et l'irrationalité des croyances antiques à leurs mœurs saines et raisonnables. Rousseau y voit un témoignage de ce qu'une morale naturelle est universellement en vigueur. En remontant directement à Montaigne, il répond simultanément à ceux qui, après lui jusqu'à Helvétius, insistent sur le caractère variable et conventionnel des valeurs humaines.

82. C'est un thème qui, depuis *La Fable des abeilles* de Mandeville, traverse tout le siècle. Rousseau avait encore pu le retrouver chez Helvétius (*De l'esprit*, Discours III, chap. IV).

83. Cet alinéa et les deux suivants ainsi que la note qui les accompagne doivent être lus conjointement : Rousseau y procède par rééquilibrages successifs. On y retrouve, précisées, développées, les articulations examinées plus haut (voir note 74). La conscience ou sens interne est immédiate (c'est le contenu essentiel de l'adjectif *inné*) ; sa fonction est, pourrait-on dire, de nous orienter : les sentiments sont les orientations qu'elle nous donne. La raison n'a pas cette capacité directrice. Mais la conscience n'a pas la connaissance de son objet, seule la raison peut le lui faire connaître. La raison serait la médiation par laquelle la connaissance est donnée à la conscience de ce qu'elle recherche ou repousse, le bien, le mal. La raison peut même expliquer la conscience qui pourtant lui est antérieure. Il faut donc ou s'en tenir à l'immédiateté des sentiments de

la conscience ou les éclairer par les connaissances de la raison : on aura alors des idées.

84. Cette invocation célèbre est donc le résumé, très synthétique mais fidèle, du développement introduit par la notion d'instinct (voir note 74). L'expression d'instinct divin vient (note 19) de l'ouvrage de Muralt qui porte ce titre. Doit-on aller plus loin et voir ici un glissement de Rousseau vers un piétisme mystique et antirationaliste? Ce serait surprenant, venant de celui qui, dans *La Nouvelle Héloïse*, partie VI, lettre VII, OC II, p. 685; GF, p. 521, avait clairement exprimé sa défiance pour la « dévotion en délire », le piétisme, et choisi chez Muralt de lire ses *Lettres* plutôt que son *Instinct divin.* Doit-on comprendre que, dans les dernières lignes de notre passage, le « mépris de la raison » impliquerait que les déterminants *sans règle* et *sans principe* portent sur *l'entendement* et *la raison* en général? Le texte et le contexte l'interdisent, Rousseau est clair : l'entendement et la raison ont besoin de la conscience pour les orienter, comme elle a besoin d'eux pour être instruite. Masson cite lui-même une note marginale de Rousseau à la *Lettre de Thrasybule* de Fréret très éclairante : « Tout dans les connaissances humaines se rapporte au sentiment intérieur comme à son principe, puisque nous n'avons nulle autre démonstration des vérités primitives appelées axiomes, desquelles découlent toutes les autres, que ce sentiment même. »

85. Le vicaire exprime son soulagement d'avoir achevé cet examen qui lui coûtait. Rousseau parlera souvent de la première partie de la *Profession de foi* comme d'un pensum auquel il a cru devoir, une fois, consentir (voir note 135). D'un même mouvement, il expose son inquiétude devant la « timidité » de la voix de la conscience que tant de bruits du monde ou de voix étrangères peuvent couvrir.

86. En somme la vertu est *index sui*, et le témoignage qu'elle se donne est le contentement de soi. Mais il faut la connaître une fois pour pouvoir la reconnaître.

87. C'est la reprise du schéma dégagé (note 84) : la conception de l'ordre à laquelle la raison, réduite à elle-même, peut accéder est celle d'un ordre dont je suis le centre; seul le sentiment de mon existence dans le tout et par lui peut la conduire à se placer du point de vue du tout et de tous, de Dieu et d'autrui. La figure du cercle des cercles renvoie au passage sur les sphères (voir note 45) qui l'éclaire. N'oublions pas que « la bonté de Dieu est l'amour de l'ordre ».

Qui sont ceux (« La vertu, disent-ils, est l'amour de l'ordre ») auxquels Rousseau répond? Évoquer à la fois la « coterie holbachique » et Malebranche n'est guère éclairant. Pierre-Maurice Masson fournit la piste la plus vraisemblable en signalant le lien entre les formules de Diderot (« Je définis la vertu *le goût de l'ordre dans les choses morales.* », *Entretiens sur le fils naturel*, II) et celles de Wolmar dans *La Nouvelle Héloïse* (« Mon seul principe actif est le goût naturel de l'ordre. », IV, XIII).

88. C'est le ton de Rousseau se « retrouvant » à l'Ermitage.

89. Cette envolée angélique est un effet inévitable de l'espèce de dualisme auquel Rousseau a dû recourir pour expliquer le mal; mais la tentation est brève : il faut se voir tel qu'on est, homme.

90. Le parallélisme est strict entre la pensée politique de Rousseau et sa pensée morale : la question majeure est toujours de savoir comment la volonté peut être corrompue, sachant qu'elle est naturellement bonne et qu'elle ne peut se corrompre qu'elle-même. Toute sa philosophie tournerait autour de l'idée de servitude volontaire.

91. Voici donc comment le vicaire rend compte de ce « défaut » dont il ne s'est « pas trop bien corrigé » : le sentiment trompé par les sens. Faut-il penser que tel est encore l'objet de son propos quand, un peu plus bas, il écrit « n'être pas content de mon état, c'est ne vouloir plus être homme » ?

92. Même si l'expression peut varier et prêter à confusion parfois, le propos de Rousseau est, quoi que dise Pierre-Maurice Masson, bien fixé sur ce point : la prière comme demande d'une faveur, appel à une modification par Dieu de l'ordre du monde, est rationnellement absurde et religieusement impie. La seule forme de prière qui puisse avoir sens est celle d'adoration ou d'action de grâce. CF. *Lettres écrites de la montagne*, OC III, p. 751-752, où il défend et explique ce passage.

La formule « la conscience pour aimer le bien, la raison pour le connaître, la liberté pour le choisir » est un résumé parfaitement pesé de la profession de foi du vicaire. Elle est aussi la synthèse de la pensée de Rousseau. Qu'elle vienne de *La Nouvelle Héloïse*, partie VI, lettre VII, OC II, p. 683, GF, p. 520, qu'elle y ait été le résultat de multiples hésitations de rédaction, montre que Rousseau a cherché la formulation adéquate de sa pensée. Le texte de cette lettre, très utilisé dans ces pages (voir note 84), est annoté de façon très riche par B. Guyon dans OC II.

On relèvera d'après P.-M. Masson et H. Coulet — qui a établi le texte de *La Nouvelle Héloïse* pour la Bibliothèque de la Pléiade —, les cinq états successifs de l'énonciation :
a) brouillon de *La Nouvelle Héloïse* : « La liberté pour suivre notre volonté, la conscience pour vouloir ce qui est bien et la raison pour le connaître. »
b) copie personnelle de *La Nouvelle Héloïse* : « La liberté pour choisir ce qui est bien, la raison pour le connaître et la conscience pour l'aimer. »
c) rédaction définitive de *La Nouvelle Héloïse* : « La raison pour connaître ce qui est bien, la conscience pour l'aimer, et la liberté pour le choisir. »
d) brouillon de la *Profession de foi* : « La conscience pour vouloir le bien, la raison pour le connaître, la liberté pour le choisir. »
e) le texte définitif est identique au brouillon. Seul changement, *aimer* au lieu de *vouloir*.

Les variations sur les termes de la séquence tiennent à la difficulté d'assigner sa place exacte à la volonté : avec la conscience ou avec la liberté ? La volonté est partagée entre la notion de choix et celle d'amour. Rousseau résout la difficulté en dissociant la notion, impliquée ainsi dans la conscience comme dans la liberté.

Rousseau a aussi travaillé le caractère consécutif des opérations de l'esprit : c'est une recherche de la logique de ces opérations qui semble commander le passage de *a* à *b*, puis à *c*. Le passage de *c* à *d* marque toute la différence entre Saint-Preux et le vicaire et reflète l'aboutissement de la pensée de Rousseau : la conscience est première parce que la raison a besoin d'elle pour s'orienter.

93. Nous l'avions oublié, le vicaire s'adresse à son jeune disciple, et le soleil doit être déjà avancé dans sa course. Ce rappel marque le passage à l'examen des religions révélées. La référence à Orphée est une insertion tardive. Serait-ce pour justifier un renvoi de gravure ? Le motif parait faible et biaisé. On peut penser que Rousseau, au moment où il va parler du Christ, esquisse la figure de ces grands médiateurs entre Dieu et notre conscience, parmi lesquels figure sans doute le vicaire.

94. Dans le vocabulaire du siècle, les termes de déisme et de théisme se distinguent d'abord par la connotation négative qui affecte le premier. Surtout, le déiste est celui qui pense l'existence d'un Dieu, tandis que le théiste est celui pour qui l'homme est en rapport avec Dieu : c'est le théisme qui fonde une religion naturelle. Ce point d'équilibre paraît bien difficile au jeune homme, entre l'incrédulité qui est la sienne et la croyance aux religions révélées. Pour un aperçu général sur la « religion naturelle », voir J. Lagrée, *op. cit.*

95. Cette idée est développée dans la cinquième des *Lettres écrites de la montagne*, OC III, p. 802. La publication de la *Profession de foi* voulait répondre à « l'état religieux de l'Europe » : des religions positives discréditées par leur défense de l'indéfendable, des philosophes aboutissant à l'athéisme et un « public » plongé dans le scepticisme. Assurer la paix des partis et des esprits en refondant sur l'appel à la raison une religion acceptable par tous, tel était — rien de moins — son projet.

96. Rousseau entreprend ici une critique des « doctrines positives », opposées à la religion naturelle, dont la vigueur n'aura rien à envier aux critiques les plus fermes des « superstitions ». Voltaire ne s'y est pas trompé qui a intégré l'essentiel de ces pages à son *Recueil nécessaire*. Loin d'être en rupture avec la première partie de la profession de foi et avec la sensibilité à la figure du Christ exprimée plus loin, ces pages en sont le corollaire.

97. Dans sa présentation de la formation de la pensée religieuse de Rousseau et de la rédaction de la *Profession de foi*, P.-M. Masson insiste sur une croissante méfiance à l'égard de la raison, liée à la lecture et la réfutation d'Helvétius. On notera que ce passage profondément remanié au fil des rédactions l'a été dans un sens inverse. Rousseau ne se contente pas de critiquer l'anthropomorphisme et l'anthropocentrisme des religions révélées pour affirmer positivement la religion naturelle, il va plus loin avec l'énoncé central : « Les plus grandes idées de la Divinité nous viennent de la raison seule. » Au regard de la première partie de la *Profession de foi*, ce

passage fait-il difficulté ? Faut-il y voir un artifice rhétorique : développer une argumentation pour mieux la réfuter ? Sans doute pas, si l'on lit précisément : les *idées* viennent de la raison, nous l'avons vu, même si les *sentiments* viennent du sens interne, ici « la voix intérieure ». Le propos doit donc s'entendre ainsi : pour le sentiment de Dieu, seule notre conscience peut nous parler, pour l'idée de Dieu, seule notre raison est fiable. Une révélation ne relève d'aucune de ces voix, les seules que je doive écouter.

En tout état de cause, un énoncé aussi décisif ne peut être qu'au centre d'une interprétation de la *Profession de foi.*

98. Cette opposition de la religion intérieure, personnelle, et des formes sociales du culte est déjà constitutive de la religion réformée (le refus de la génuflexion en provient directement) ; elle est reprise par tous les tenants de la religion naturelle. Il faut distinguer pour Rousseau trois niveaux : la religion naturelle, celle du cœur qui est affaire de la personne, les formes sociales du culte qui doivent obéir à l'État (ce dont il est question ici), enfin la religion civile qui est commune aux citoyens comme membres du souverain. Il faut garder en mémoire ces distinctions pour comprendre le statut de la dernière longue note que Rousseau a ajoutée, dans sa rédaction ultime, à la fin de la *Profession de foi.*

99. Le mécanisme qui me faisait croire que je suis centre du monde (notes 45 et 87) se retrouve ici. Le vicaire en a connu l'illusion.

100. La note de Rousseau constitue un indice important : en affirmant en son nom propre que « la sincère profession de foi » de Charron serait semblable à celle du vicaire, il indique clairement que le propos tenu ici par le vicaire n'est pas un artifice rhétorique qui préparerait son ralliement à la révélation, mais bien un élément constitutif de sa pensée religieuse.

101. En même temps que l'idée de révélation, ce sont celles de péché originel et de rédemption par le baptême qui sont ici radicalement récusées : le vicaire retrouvera sans doute « la sainteté de l'Évangile », mais la lecture en sera bien éloignée du christianisme historique.

102. « Il me faut des raisons pour soumettre ma raison. » C'est très exactement la méthode du vicaire, celle qui l'a amené à poser la bonté de Dieu et à ne pas affirmer l'idée de création, et qui le conduira à ne pas poser celle de révélation.

103. L'immédiateté, telle est l'exigence de la pensée religieuse du vicaire : entre Dieu et ma conscience, aucun intermédiaire n'est légitime. Rousseau, dans les *Lettres écrites de la montagne*, justifiera ce principe comme étant le plus fondamental de la Réforme.

104. L'argument porte aussi bien contre l'apologétique que contre la démonstration développée par certains, comme Bayle ou Voltaire. Si tout un appareil de science et d'érudition est nécessaire (même les mathématiques les plus récentes, les probabilités de Bernoulli, sont évoquées), à qui donc est réservé de déterminer sa croyance ? L'homme simple qu'est le vicaire veut s'adresser à l'universalité des consciences et à la simplicité de la raison.

105. Diallèle : paralogisme dans lequel on donne pour preuve d'une proposition une seconde proposition que l'on prouve elle-même par la première. Si une science révélée est nécessaire pour distinguer les vrais des faux miracles, et si les miracles authentifient cette révélation... Le schéma vient de Pascal (*Pensées*, Brunschvicg 843) : « Il faut juger de la doctrine par les miracles, il faut juger des miracles par la doctrine. » Cependant, Pascal poursuivait : « Mais tout cela ne se contredit pas. » Rousseau renouvellera l'argumentation contre ses détracteurs catholiques (*Lettre à Christophe de Beaumont*, OC IV, p. 990) et réformés (*Lettres écrites de la montagne*, OC III, p. 747).

La note conjugue cet argument et le précédent. Le vicaire se présente à la fin de sa profession de foi, comme il l'avait fait dans ses débuts (voir note 5), comme le sage non savant, celui qui n'a pour lui que la simple raison.

106. C'est sa conformité avec la religion naturelle qui doit permettre de juger toute prétendue révélation. Rousseau fait ici négativement l'examen du judaïsme et du christianisme historique et il prépare positivement la lecture qu'il fera, par opposition, de l'Évangile.

107. Passage décisif en ce qu'il annonce le statut de l'Évangile (l'enseignement du Christ ne nie pas la raison mais l'éclaire) et restitue l'idée de révélation : elle peut expliquer la religion naturelle, non pas s'y substituer. Voir la lettre à M. Petitpierre de 1763 : « Le vrai christianisme n'est que la religion naturelle mieux expliquée. » Voir aussi la première des *Lettres écrites de la montagne*, OC III, p. 697 : « Deux règles de foi qui n'en font qu'une, la raison et l'Évangile, la seconde sera d'autant plus immuable qu'elle ne se fondera que sur la première. »

108. Le dialogue philosophique est un genre littéraire courant au XVIIIe siècle, Diderot et Voltaire l'ont beaucoup utilisé. D'Alembert (*Jugement sur Émile*) fait remarquer que Rousseau n'y est pas très à l'aise. Ce dialogue entre le raisonneur et l'inspiré sera prolongé par un autre, peut-être plus réussi, entre les « chrétiens paisibles » et les « chrétiens disputeurs » dans les *Lettres écrites de la montagne*, OC III, p. 698-700.

109. Allusion à l'hostie, le corps du Christ. La même formule se trouve dans la *Lettre à d'Alembert sur les spectacles* (OC V, p. 12; GF, p. 59-60, mais, dans cette dernière édition, le texte de la note est fautif).

110. Pierre-Maurice Masson fait remarquer, à juste titre, que l'argumentation du raisonneur dans ce dialogue reprend celle de Rousseau dans la *Lettre à d'Alembert sur les spectacles* (même passage que précédemment et note).

111. Rousseau, même si le dogmatisme de l'inspiré lui répugne manifestement, ne s'identifie jamais avec le raisonneur. Le terme même qu'il emploie pour le désigner marque ce qu'il lui reproche. Sur la « raison raisonneuse », voir notes 31 et 74. Lorsqu'il invoque « l'autorité de Dieu qui parle à ma raison », il ne sait pas que celle-ci ne peut comprendre (ou entendre) que la voix qui lui vient de sa

conscience, qui est la voix de Dieu. La conscience parle, la raison entend. Aussi n'y a-t-il pas lieu de voir une opposition entre la première et la seconde partie de la *Profession de foi.* Nous n'avons pas plus affaire, selon les expressions de P.-M. Masson, à un « sursaut d'intransigeance rationaliste » dans ces pages qu'on ne peut voir un quelconque « mépris de la raison » dans la première partie.

112. L'appréhension proprement logique du problème de la vérité par les stoïciens est si étrangère à Rousseau qu'il reste totalement extérieur à leur raisonnement qui repose sur le principe du tiers exclu : de deux énoncés contradictoires un et un seul est vrai.

113. Très tôt, on avait accusé Bossuet de présenter une version édulcorée du dogme catholique, destinée à faciliter les conversions. Il en fait lui-même état dans l'avant-propos de la seconde édition de son *Exposition de la doctrine de l'Église catholique sur les questions de controverse.*

Cet « esprit de la croyance » ressemble fort à la façon dont Montesquieu rend compte de « l'esprit des lois ».

114. Cet examen faisait partie des « passages obligés » concernant la révélation, aussi bien pour la littérature apologétique que pour la polémique antireligieuse (qu'on songe aux « *Trois imposteurs* »).

115. On notera que, pour les juifs comme pour les musulmans, les textes sacrés sont à proprement parler intraduisibles.

116. Cet argument, nous dit P.-M. Masson, est constant chez ceux qui, comme Montaigne, La Hontan et tant d'autres, ont exposé ce qu'il appelle une « philosophie du sauvage ». Serait alors proprement rousseauiste une animosité misologique à l'égard des livres. Plus positivement, on peut voir l'opposition déterminante entre l'intérieur et l'extérieur. On pourrait tout autant penser à Descartes décidant de ne plus consulter que le grand livre du monde et sa propre raison.

117. Encore un diallèle. Le même au fond : celui de l'autorité qui s'autorise.

118. Johann Reuchlin (1455-1522) était un humaniste allemand dont Rousseau résume fidèlement l'histoire. Curieuse réflexion que celle de P.-M. Masson parlant d'une « curieuse sympathie de Rousseau pour le judaïsme »... Cette page sur le judaïsme est étonnante, non parce qu'elle témoignerait de la sympathie pour la religion juive (c'était d'ailleurs un moyen fréquent de se démarquer du christianisme) ni parce que son ton tranche sur l'antisémitisme dominant dont Voltaire donne un exemple particulièrement grossier, mais bien par l'argument politique en faveur d'un État juif.

119. Rousseau fait allusion à la façon dont les Jésuites se firent expulser du Japon.

120. Le ton de cette envolée est proprement de Rousseau : un Dieu juste ne peut conditionner le salut de quiconque à la réception d'une révélation, nécessairement dépendante de circonstances historiques.

121. Le vicaire a déjà distingué (note 98) la religion intérieure et la religion civile; c'est ici la première fois qu'il tient un propos dont

la logique n'est pas individuelle mais sociale, pas morale mais politique. Cette perspective dominera la fin du texte.

122. C'est un thème récurrent : « Un fils n'a jamais tort de suivre la religion de son père », dira la *Lettre à Christophe de Beaumont*. Cette règle n'est qu'une libre interprétation du principe *cujus regio, ejus religio* (maxime latine qui s'impose au XVIIe siècle pour signifier que chacun adhère à la religion qui domine dans son pays), principe qui lui fait même se demander si les protestants français n'auraient pas dû se soumettre à la religion de leur royaume (*Lettre à Christophe de Beaumont*, OC IV, p. 978). Ici il va beaucoup plus loin en étendant la règle des diverses confessions chrétiennes à l'ensemble des religions.

123. C'est Thomas d'Aquin (*Quaestiones disputatae. De veritate*, q. 14, a. 9) qui est visé. Rousseau s'y réfère sans doute via l'article « Foi » de l'*Encyclopédie* (abbé de Morellet). Pierre Burgelin lit *machine* au sens de *ruse*, *machine de théâtre* (*deus ex machina, angelus ex machina*) conviendrait au contexte. D'autant plus que c'est le modèle de l'ange Gabriel, annonçant la divine conception du Christ à Marie, qu'invoque Thomas d'Aquin.

124. Le vicaire réaffirme ici la nécessité, pour la raison, de s'en tenir à la religion naturelle et la suffisance de celle-ci au regard de Dieu. La suite du texte viendra compléter, non remettre en question, ce principe.

125. L'histoire du manuscrit est ici essentielle à une bonne compréhension de ce passage et de celui sur le Christ et l'Évangile qui va suivre. Simplifiant l'appareil très complexe de Masson on peut retenir comme premier texte :

> « À l'égard de la révélation je ne l'admets ni ne la rejette. Jusqu'à de plus amples lumières, je reste sur ce point dans un doute respectueux. Je n'ai pas la présomption de me croire infaillible. D'autres hommes plus éclairés que moi ont pu décider ce qui me semble indécis.
>
> Ce scepticisme involontaire n'est point pénible, parce qu'il ne roule point sur les points essentiels à connaître, et que je suis bien décidé sur tous les principes de mes devoirs envers Dieu, envers le prochain et envers moi-même. »

Rousseau a remanié et développé le premier alinéa ; il a surtout inséré avant le second le long développement si célèbre. L'intérêt de cette première version est d'abord d'éclairer la notion décisive de « doute respectueux ». L'état de doute, nous l'avons vu (plus haut et note 17), est intolérable à Rousseau, pour autant qu'il porterait sur « ce qui nous importe ». Le vicaire peut rester dans le doute sur la révélation (et il le reste : le scepticisme est exprimé après le passage sur le Christ et l'Évangile), parce que « la croire » ou non ne touche à rien d'essentiel. S'il doit demeurer dans le doute, c'est qu'aucune des voies pour en sortir n'est ouverte : la raison ne nous permet pas de nous déterminer en faveur de la révélation, la conscience ne l'exige pas, parce qu'elle ne peut exiger que ce qui lui importe essentiellement. Si ce doute est respectueux, c'est sans doute moins au regard de ceux qui ne l'éprouvent pas que vis-à-vis du contenu même de la révélation qui dit précisément ce qui importe à notre conscience et qu'elle se dit elle-même. La question, dès lors, est de savoir si l'insertion du passage sur la « beauté de l'Évangile », comme dit Rousseau dans la note marginale à son manuscrit qui prépare ce remaniement, vient modifier la position ainsi arrêtée ou si elle n'en est qu'un développement. Seule l'étude du texte répondra.

126. C'est au cœur, c'est-à-dire à la conscience, que l'Évangile parle. La figure est intéressante. Nous avons vu, pour Rousseau, qu'en principe le cœur parle et la raison entend. En fait, l'Évangile parle moins à ma conscience qu'avec elle. Ils parlent d'une seule et même voix, à l'unisson.

127. Cette page est bien sûr l'objet de multiples tentatives d'interprétation. On peut ramener les questions qu'elle pose à deux essentielles : 1) assistons-nous ici à un retournement de Rousseau qui accepterait l'idée de révélation ? 2) quelle lecture faut-il faire du parallèle Jésus/Socrate, ou plus simplement que signifie l'adjectif divin appliqué au Christ ?

En ce qui concerne le premier point, les expressions de retournement, de renversement, que l'on retrouve sous la plume de bien des commentateurs, impliqueraient qu'après avoir refusé de fonder le sentiment religieux sur la révélation le vicaire revienne sur ce point de vue. Rien ne permet de le penser. L'idée de révélation reste, comme celle de création, de celles dont on doit dire que la raison ne peut pas les poser, sans qu'elle s'y oppose. D'autre part, il ne nous importe pas assez de la poser pour que notre sentiment intérieur se prononce. Cela parce que la voix de notre conscience suffit à nous dire tout ce que nous devons entendre. Pourquoi alors cette place tout à fait singulière pour l'Évangile ? Parce qu'il nous parle de la même voix que notre conscience, celle du sentiment intérieur. Ce qu'il dit, notre « instinct divin » nous le dit. Son effet n'est pas seulement de confirmation, mais aussi d'éveil. Il fait vibrer la corde qui sommeille en nous, parce qu'il est avec elle à l'unisson. Nous suggérons ici que cette notion musicale, qui a un contenu précis pour Rousseau (voir note 54), est beaucoup plus qu'une métaphore : un modèle.

Sur le second point, on pourrait tenter de clarifier les choses de la façon suivante : Socrate est un sage, c'est-à-dire qu'il suit la voix de la raison et va aussi loin qu'elle peut aller. C'est la vertu qui est son domaine. La voix de Jésus est celle de la conscience, c'est-à-dire du sentiment intérieur, immédiat : celle-ci s'y reconnaît. C'est la vertu véritable (voir note 6) qu'elle prescrit. Au reste, les formulations de Rousseau sont rigoureuses et symétriques : le sentiment intérieur est dit instinct *divin*, parce que ce que sa voix nous dit est ce que Dieu dit, le Christ est lui aussi qualifié de divin, parce que sa voix est la voix même de la conscience. On gagnera beaucoup à se reporter au fragment que l'on appelle — de façon très discutable — *Fiction sur la révélation* (OC IV, p. 1052-1054), dans lequel Jésus et Socrate sont évoqués de façon transposée : on y voit clairement que

Socrate est celui qui, par la raison, délivre de la superstition, tandis que Jésus est celui qui éveille le sentiment intérieur.

La comparaison de leurs deux morts peut être, dans une certaine mesure, replacée dans cette même perspective : le juste affligé de la *République*, Socrate, fils de Sophronisque, nous montre ce que peut l'empire sur soi de l'être raisonnable qui domine ses passions, le Christ dans sa Passion nous montre ce que peut l'instinct divin.

128. Voir note 125 : ce scepticisme maintenu ne doit pas surprendre après ce que nous venons de lire. Il porte sur le caractère révélé de l'Évangile, possible, probable, mais non certain, pas sur son contenu qui est celui de la conscience. La raison seule serait en droit de trancher la première question, mais ne le peut pas. Le sentiment intérieur est suffisant pour la seconde : il reconnaît sa propre voix.

129. Dans cette présentation de la religion civile et de ses paramètres, on reconnaîtra sans peine un écho de Montesquieu (*cf.* note 113).

130. Le vicaire rend ainsi compte de la façon dont il peut, sans hypocrisie, faire office de prêtre d'un culte auquel sa raison ne donne pas son accord entier. Il répond ainsi aux questions que se posait à son sujet le prosélyte (cf. note 12). On consultera aussi la lettre du 4 mars 1764 à l'abbé de Carondelet, dans laquelle Rousseau justifie sa volonté d'appartenir à la « communion » évangélique, « sans être en tout du sentiment de mes frères », et y répond en terme propre de l'accusation d'*hypocrisie.*

131. C'est le curé comme « officier de morale », auquel Rousseau était réellement attaché; il ne l'a pas seulement montré dans ses *Conseils à un curé* (OC II, p. 1260 sq.), mais dans toute une correspondance où il joue le rôle de conseiller, voire de directeur de conscience, d'un certain nombre d'ecclésiastiques ou séminaristes.

132. Voir note 122.

133. Voir les termes employés dans la cinquième des *Lettres écrites de la montagne* (OC III, p. 802), où il est question de « replanter » le tronc après qu'on lui a arraché les branches.

134. L'expression est évidemment circulaire et marque pourtant un nœud de la pensée : la conscience doit être éclairée par la raison, nous le savons (connaître le bien). Elle est volonté d'être éclairée (aimer le bien). Mais il faut encore une décision de la volonté pour aimer le bien, qui est acte de liberté. (Voir note 92.) C'est par nature que nous aimons le bien, c'est la formation de la raison qui nous le fait connaître, c'est l'éducation morale qui nous le fait vouloir : telle est bien l'œuvre d'un curé en général, du vicaire pour son jeune disciple en particulier.

135. Pyrrhonisme est ici, comme partout à l'âge classique, dit pour toute attitude de scepticisme moral et théorique.

Rousseau a plus de quarante-cinq ans. Depuis son arrivée à l'Ermitage, il a pris ce ton dont il ne se défera plus jamais. Voir par exemple la lettre à M. de Franquières du 15 janvier 1769 : « l'esprit déjà moins actif » est devenu « ma judiciaire affaiblie ». La *Profession de foi* est pour lui un aboutissement; il s'en tiendra là.

136. Rousseau n'est plus un jeune homme, mais il va suivre ce conseil qu'il se donne à lui-même : retourner dans sa patrie, reprendre la religion de son père... avec les succès que l'on sait.

137. C'est une détermination de la règle examinée note 134.

138. Ce catéchisme élémentaire laissé pour legs par le vicaire à son disciple est celui de la plus simple des religions naturelles.

139. La question est d'importance de savoir qui vise cet indéterminé, comme plus bas d'interpréter *l'orgueilleuse philosophie*. Le troisième des dialogues, *Rousseau juge de Jean-Jacques* (OC I, p. 966-969), revient de très près sur les mêmes thèmes que ceux de la note et indique clairement qui est visé : Helvétius, d'Holbach et « la gent holbachique ». Les *philosophes* sont donc à entendre comme un *parti* déterminé. Rousseau a beau avoir supprimé le passage symétrique consacré au *parti dévot*, c'est à l'opposition de deux partis opposés que ces dernières pages sont consacrées. Il faut également les rejeter. La suite du texte et la note finale attestent bien que Rousseau use ici du vocable « philosophe » en ce sens restreint et déterminé. Toute généralisation fait localement contresens et conduit à une interprétation très discutable de l'ensemble de sa problématique.

140. C'est bien le mérite que se reconnaît Rousseau. On connaît l'épisode célèbre de Rousseau comparant Dieu à un ami dont il ne tolérera pas que l'on dise du mal devant lui.

L'expression « sachez être ignorant » doit être lue en toute rigueur : c'est une connaissance qui nous instruit des bornes de notre pouvoir de connaître.

141. Pour la signification de ce dernier énoncé, voir notre introduction, p. 28 et p. 34-35.

142. Cet *Amen* solennel par lequel Rousseau entendait clore la *Profession de foi* a été nettement marqué par lui aussi bien sur le manuscrit Moultou, destiné à une publication séparée, que sur la copie préparée pour l'impression. L'édition Du Peyrou des *Œuvres complètes* a respecté cette indication. On ne voit pas ce qui autoriserait à faire autrement.

143. Engagée pour maintenir une symétrie, la note y manquera. On remarquera que le registre est celui de la philosophie politique plus que celui de la philosophie morale ou religieuse. C'est le *Contrat social* qu'il faut avoir à l'esprit. Pour un peuple de « vrais chrétiens », voir *Du contrat social*, livre IV, chap. VIII, et le chapitre correspondant de la première rédaction, OC III, p. 336 sq. Voir aussi l'article de Robert Derathé, « La Religion civile chez Jean-Jacques Rousseau », *Annales Jean-Jacques Rousseau*, vol. XXXV, 1963, et la discussion qui suit.

144. Les considérations de Rousseau relèvent ici de la « philosophie de l'histoire », et pourraient avoir quelque parenté avec telle ou telle page de Hegel. C'est le reproche d'individualisme qui fait le fond de toute la diatribe contre « les philosophes ». Il est logique de penser que Rousseau reprend et poursuit le procès entamé plus haut (voir note 50) à l'égard de Helvétius et de son apologie de la morale de l'intérêt. Cette note serait alors issue, comme tant d'autres passages, de la lecture de l'ouvrage *De l'esprit*.

145. Cet argument, dans un contexte très différent, se trouve dans le *Traité théologico-politique* de Spinoza. On notera le « chez nous » : il indique clairement que c'est le citoyen de Genève qui parle ici.

146. Rousseau avait trouvé chez Chardin ce fait de culture. Il l'évoque à plusieurs reprises. On ne peut pas dire que cet argument (la menace du châtiment) élève beaucoup le débat. À la vérité, il ne cherche pas du tout à prouver la *vérité* de la religion mais son *utilité*, ce qui est tout l'objet de cette longue note. Elle est de fait assez extérieure à l'ensemble de la *Profession de foi*, et Rousseau l'avait tout simplement omise dans la copie destinée à Moultou, la résumant ainsi : « Il y a ici une grande note dont je n'ai pas gardé copie, pour prouver qu'il n'est pas vrai, comme disent les philosophistes, que la religion soit inutile aux hommes. » De fait, c'est l'efficace social comparée de la religion et de la philosophie qui est l'objet de l'examen.

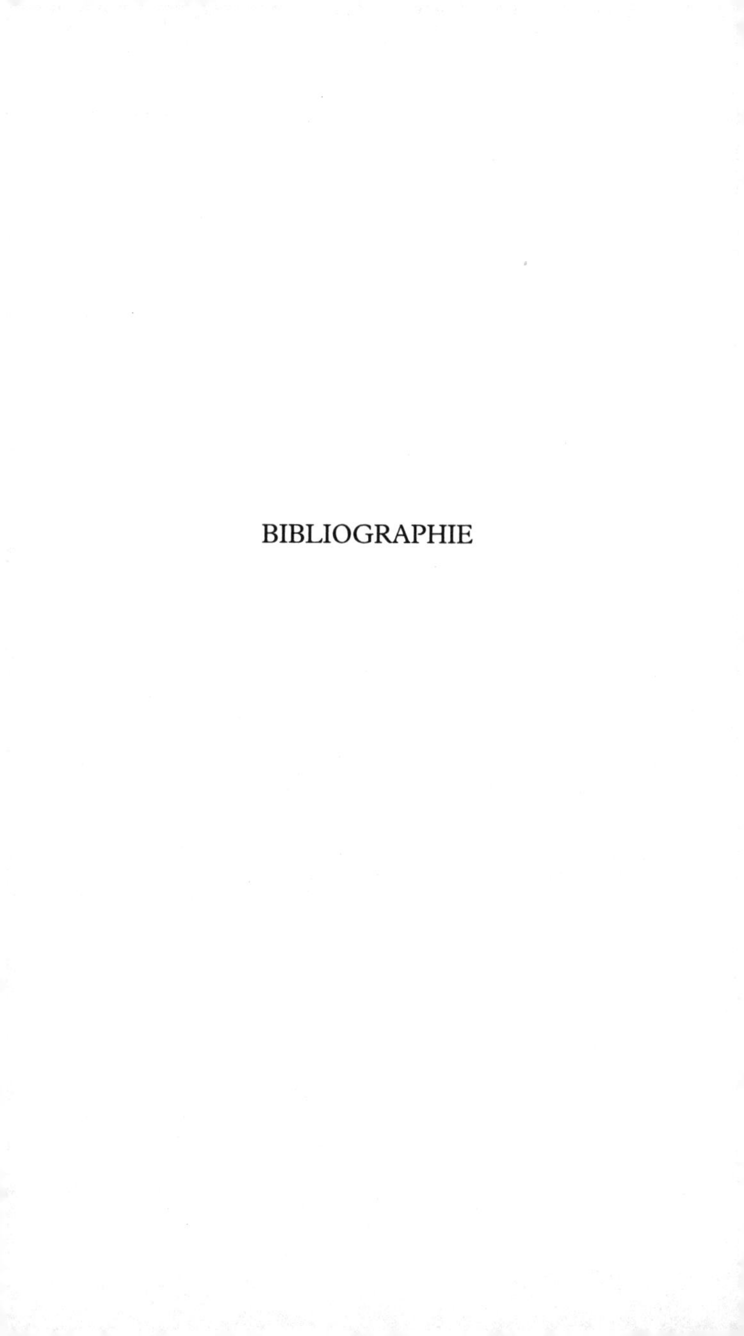

BIBLIOGRAPHIE

SOURCES

A. Œuvres de Jean-Jacques Rousseau

On dispose désormais d'une édition critique, qui peut être considérée comme complète (malgré l'absence de textes comme les *Institutions chymiques*), publiée sous les auspices de la société Jean-Jacques Rousseau et sous la direction de Bernard Gagnebin et Marcel Raymond : les *Œuvres complètes de Jean-Jacques Rousseau*, dans la collection de la Bibliothèque de la Pléiade.

Le volume I (1959) contient : les *Confessions, Rousseau juge de Jean-Jacques*, les *Rêveries du promeneur solitaire, Fragments autobiographiques.*

Le volume II (1964) contient : *La Nouvelle Héloïse*, le théâtre, les ballets, pastorales, les poésies, contes et apologues, etc.

Le volume III (1964) contient : Les deux *Discours*, le *Discours sur l'économie politique, Du contrat social, Fragments politiques, Écrits sur l'abbé de Saint-Pierre*, les *Lettres écrites de la montagne*, le *Projet pour la Corse, Sur le gouvernement de Pologne*, etc.

Le volume IV (1969) contient : les textes sur l'éducation, l'*Émile*, la *Lettre à Christophe de Beaumont*, les *Fragments sur Dieu et la révélation*, la *Lettre à Voltaire sur la providence*, les *Lettres morales*, les écrits sur la botanique, etc.

Le volume V (1995) contient : la *Lettre à d'Alembert sur les spectacles*, l'ensemble des écrits sur la musique, l'*Essai sur l'origine des langues*, textes historiques et scientifiques, le *Dictionnaire de musique*, etc.

La correspondance est désormais disponible dans l'édition de la *Correspondance complète de Jean-Jacques Rousseau*, éditée par R.A. Leigh, Institut et Musée Voltaire, puis The Voltaire Foundation, Thorpe Mandeville House, Bambary, 1965-1987.

On peut encore utilement consulter l'ancienne *Correspondance générale de Jean-Jacques Rousseau*, éditée par Th. Dufour et P.-P. Plan, Armand Colin, Paris, 1924-1934.

L'essentiel de l'œuvre est publié dans la collection GF :

— *Les Rêveries du promeneur solitaire*, édité par J. Voisin, n° 23

— *Du contrat social*, édité par P. Burgelin, n° 94

— *Émile*, édité par M. Launay, n° 117

— *La Nouvelle Héloïse*, n° 148

— *Lettre à d'Alembert sur les spectacles*, n° 160

— *Les Confessions* (2 vol.), n°s 181-182

— *Discours sur les sciences et les arts, Discours sur l'origine et les fondements de l'inégalité*, édité par J. Roger, n° 243

— *Sur l'économie politique, Projet pour la Corse, Sur le gouvernement de Pologne*, édité par B. de Negroni, n° 574

— *Essai sur l'origine des langues*, suivi de la *Lettre sur la musique française*, édité par C. Kintzler, n° 682.

B. Éditions séparées de la « Profession de foi du vicaire savoyard »

Une place tout à fait à part doit être faite à l'édition critique de Pierre-Maurice Masson. Parue en 1914, elle constitue encore l'ouvrage de référence majeur. Non seulement Pierre-Maurice Masson donne tous les états successifs du texte mais, dans une annotation très riche, indique, en surabondance, les références aux œuvres qui ont été ou auraient pu être aux origines des formulations de Rousseau. Ce travail a les mérites (une information riche et fiable) et les limites (on finirait par concevoir un texte comme un puzzle) de sa méthode, dite de « critique des sources ». Pierre-Maurice Masson a cru devoir, et certains éditeurs qui s'étaient contentés de reprendre son texte après lui, insérer dans le texte de Rousseau des titres et sous-titres souvent éclairants, parfois bien contestables. (Pierre Burgelin, dans son édition de l'*Émile*, collection de la Bibliothèque la Pléiade, donne une annotation qui résume l'essentiel de celle de Pierre-Maurice Masson, la complète et la discute souvent, de façon éclairante, au regard des travaux postérieurs.)

On rappellera l'édition, petite par son format et modeste par son caractère affiché d'édition scolaire, donnée chez Hachette en 1937 par G. Beaulavon : elle démontrait que l'on pouvait tenir compte de tout le travail de Pierre-Maurice Masson sans partager sa lecture de la *Profession de foi.* Le tournant connu peu après par les études rousseauistes (Robert Derathé en est un témoin) lui doit beaucoup.

C. Les sources de Rousseau

Il était hors de question de citer les œuvres que Rousseau a ou peut avoir consultées. Pierre-Maurice Masson s'y est essayé et donne près de quatre cents titres sans être exhaustif. On s'est donc strictement limité ici aux (rares) textes cités par Rousseau, et à ceux utilisés dans l'introduction et l'annotation.

On donne les éditions disponibles quand il y en a, dans le cas contraire la première édition. Pour les « classiques » dont les éditions abondent, on renvoie, chaque fois que cela est possible, à la collection GF-Flammarion.

Abbadie Jacques, *Traité de la vérité de la religion chrétienne*, Rotterdam, 1684.

Bayle Pierre, *Dictionnaire historique et critique* [1re éd. 1697], rééd. Slatkine, 1995.

Bossuet Jacques-Bénigne, *Exposition de la doctrine de l'Église catholique sur les questions de controverse*, Paris, 1671.

Charron Pierre, *De la sagesse*, Bourdeaus, Millange, 1601.

Clarke Samuel, *Traité de l'existence et des attributs de Dieu, des devoirs de la religion naturelle et de la vérité de la religion chrétienne*, trad. Ricotier, Paris, 1727.

Condillac abbé Étienne de, *Essai sur l'origine des connaissances humaines. Traité des sensations. Traité des animaux*, Paris, Fayard-Corpus des Œuvres de philosophie en langue française, 1987.

Descartes René, *Œuvres de Descartes*, éditées par Adam et Tannery, 13 vol., Paris, 1891-1912. *Œuvres*, Gallimard, Bibliothèque de la Pléiade, 1953.

Diderot Denis, *Pensées sur l'interprétation de la nature, Commentaire sur Hemsterhuis, Pensées philosophiques, Entretiens sur le fils naturel*, in *Œuvres philosophiques*, Paris, Éd. Vernière, Garnier, 1964.

Encyclopédie ou *Dictionnaire raisonné des arts, des sciences, et des métiers* (1751-1766), articles « Dieu », « Évidence » (Quesnay), « Foi » (abbé de Morellet).

Fénelon François, *Traité de l'existence de Dieu* (1713), Paris, Éditions universitaires, 1990.
Fréret Nicolas, *Lettre de Thrasybule à Leucippe*, publiée en 1762, connue par Rousseau en manuscrit.
Helvétius Claude-Adrien, *De l'esprit* (1758), Paris, Fayard-Corpus des Œuvres de philosophie en langue française, 1988.
Huber Marie, *Lettres sur la religion naturelle à l'homme, distinguée de ce qui n'en est que l'accessoire*, Amsterdam, 1738.
Hume David, *Enquête sur l'entendement humain*, trad. A. Leroy, révis. M. Beyssade, GF, 1983. *Histoire naturelle de la religion*, trad. M. Malherbe, Vrin, 1971. Textes publiés en français en 1758 in *Œuvres philosophiques*, Amsterdam, trad. Mérian et Robinet.
La Condamine Charles, *Relation abrégée d'un voyage fait dans l'intérieur de l'Amérique méridionale*, Paris, 1745.
Lagrée Jacqueline, *La Religion naturelle*, Paris, PUF, 1991.
La Hontan Louis, *Dialogues de M. de La Hontan et d'un sauvage de l'Amérique*, Amsterdam/Londres, 1704.
La Mettrie Julien Offray de, *Traité de l'âme* (1745), *L'Homme-Machine* (1748), *Le Système d'Épicure* (1750), Paris, Fayard-Corpus des Œuvres de philosophie en langue française, 1987.
La Rochefoucauld François de, *Maximes*, Paris, GF-Flammarion, 1977.
Le Sueur Jean, *Histoire de l'Église et de l'Empire*, Genève, 1674-1688.
Locke John, *Essai philosophique concernant l'entendement humain*, trad. Coste, réed. Paris, Vrin, 1972.
Malebranche Nicolas de, *Œuvres complètes*, éditées par G. Rodis Lewis et A. Robinet, Paris, Vrin-CNRS, 1963-1978.
Mandeville Bernard de, *La Fable des abeilles ou Les Fripons devenus honnêtes gens*, Paris, Vrin, 1991.
Montaigne Michel de, *Essais*, Paris, GF-Flammarion, 1969.
Montesquieu Charles de, *L'Esprit des lois*, Paris, Bibliothèque de la Pléiade, 1951. GF-Flammarion, 1979.
Muralt Béat de, *Lettres sur les Anglais, les Français et les voyages*, 1725, *L'Instinct divin recommandé aux hommes*, 1727.
Neuwentyt Bernard, *L'Existence de Dieu démontrée par les merveilles de la nature, où l'on traite de la structure du corps de l'homme, des éléments, des astres et de leurs divers effets*, Paris, 1725.
Pascal Blaise, *Pensées et opuscules*, éd. Brunschvicg, Paris, Hachette, 1914.

Platon, *République*, Paris, GF-Flammarion, 1966.
Pluche (Abbé), *Le Spectacle de la nature. Histoire du ciel considérée selon les idées des poètes, des philosophes et de Moïse*, Paris, 1739.
Plutarque, *Œuvres morales*, trad. Amyot.
Pope Alexander, *Essais sur l'homme et sur la critique*, traduction en vers par Du Resnel, traduction en prose par Silhouette, 1730.
Thomas d'Aquin, *Quaestiones disputatae*, édition léonine, t. XXII, Rome, 1977.
Spinoza Baruch, *Œuvres*, trad. C. Appuhn, Paris, GF-Flammarion, 1964-1966.
Vauvenargues Luc de, *Introduction à la connaissance de l'esprit humain*, Paris, 1749.

ÉTUDES

Trois ouvrages bibliographiques permettront d'élargir et compléter les éléments qui suivent :

Schinz Albert, *État présent des travaux sur Jean-Jacques Rousseau*, Paris/New York, Les Belles Lettres, 1941.
L'Aminot Tanguy et Kisaki Kiyoji, *Bibliographie mondiale des écrits relatifs à Jean-Jacques Rousseau*, vol. I, *Émile*, Montmorency, Musée Jean-Jacques Rousseau, 1989.
Rogiogerone Giuseppe, *Bibliografia degli studi su Rousseau (1941-1990)*, Lecce, Milela, 1992.

Il faut consulter aussi les *Bibliographies et Chroniques* qui accompagnent (jusqu'au vol. XXXIX) les parutions des *Annales Jean-Jacques Rousseau.* Les articles de cette revue seront notés *AJJR*, suivis du tome (de I à XL) et de la date d'édition.

La bibliographie qui suit, volontairement sommaire, est consacrée à la *Profession de foi du vicaire savoyard* et à la pensée religieuse de Rousseau. On y a inclus quelques ouvrages fondamentaux sur l'ensemble de sa philosophie.

Audi Paul, *De la véritable philosophie, Rousseau au commencement*, Paris, Le Nouveau Commerce, 1994.
Beaulavon Georges, *Profession de foi du vicaire savoyard*, édition avec introduction et notes, Paris, Hachette, 1937.
Beaulavon Georges, « La philosophie de Jean-Jacques Rousseau et l'esprit cartésien », *Revue de métaphysique et de morale*, XLIV, 1937.

Belaval Yvon, « Rationalisme sceptique et dogmatisme du sentiment », *AJJR*, XXXVIII, 1974.

Bonetti Aldo, *Antropologia e teologia in Rousseau*, Milano, Vita et Pensiero, 1976.

Bouvier Bernard, « Notes inédites de Voltaire sur la *Profession de foi du vicaire savoyard* », *AJJR*, I, 1905.

Bouvier Bernard, « Compte rendu de *La Religion de Jean-Jacques Rousseau* de Pierre-Maurice Masson », *AJJR*, XI, 1916-1917.

Bouvier Bernard, « Sur le manuscrit de la *Profession de foi* », *AJJR*, XVII, 1926.

Burgelin Pierre, *La Philosophie de l'existence de Jean-Jacques Rousseau*, Paris, PUF, 1952.

Burgelin Pierre, *Jean-Jacques Rousseau et la religion de Genève*, Genève, Labor et Fides, 1962.

Burgelin Pierre, « Le thème de la bonté naturelle dans l'*Émile* », *Revue de théologie et de philosophie*, XCVIII, 1965.

Burgelin Pierre, « Le cœur et la raison », *Revue des sciences humaines*, Lille, n° 41, 1976.

Cassirer Ernst, « Das Problem Jean-Jacques Rousseau », *Archiv für Geschichte der Philosophie*, XLI, 1932, traduction anglaise avec introduction et notes par P. Gay, Bloomington-London, Indiana University Press, 1967.

Cassirer Ernst, *La Philosophie des lumières*, Paris, Fayard, 1970 et 1986.

Delbos Victor, « Rousseau et Kant », *Revue de métaphysique et de morale*, XX, mai 1912.

Derathé Robert, *Le Rationalisme de Jean-Jacques Rousseau*, Paris, PUF, 1948.

Derathé Robert, « Jean-Jacques Rousseau et le christianisme », *Revue de métaphysique et de morale*, octobre 1948, p. 379-414.

Derathé Robert, « Les rapports de la morale et de la religion chez Rousseau », *Revue philosophique de la France et de l'étranger*, n° 139, 1949.

Derathé Robert, « La religion civile chez Jean-Jacques Rousseau », *AJJR*, XXXV, 1963.

Derathé Robert, « La problématique du sentiment chez Rousseau », *AJJR*, XXXVII, 1970.

Duprat Jean-Pierre, « Le statut de la religion dans la pensée politique de Hobbes et de Rousseau », *Revue européenne des sciences sociales*, XX, n° 61, 1982.

Goldschmidt Victor, *Anthropologie et politique. Les principes du système de Rousseau*, Paris, PUF, 1974.

Gouhier Henri, « Ce que le vicaire doit à Descartes », *AJJR*, XXXV, 1963.
Gouhier Henri, « La religion du vicaire savoyard dans la cité du *Contrat social* », Études sur *Du contrat social*, Paris, Les Belles Lettres, 1964.
Gouhier Henri, *Les Méditations métaphysiques de Jean-Jacques Rousseau*, Paris, Vrin, 1970.
Grimsley Ronald, *Rousseau and the Religious Quest*, Oxford, Clarendon Press, 1968.
Grimsley Ronald, *Rousseau. Religious Writings*, Oxford, Clarendon Press, 1970. (Recueil commenté des textes de Rousseau sur la religion.)
Guyot Charlie, « La pensée religieuse de Rousseau », *De Rousseau à Marcel Proust*, recueil d'essais littéraires, Neuchâtel, Ides et Calendes, 1968.
Höffding Harald, « Rousseau et la religion », *Revue de métaphysique et de morale*, XX, mai 1912.
Hoffmann Paul, « L'âme et la liberté : quelques réflexions sur le dualisme dans la *Profession de foi du vicaire savoyard* », *AJJR*, XL, 1992.
Jacquet Christian, *La Pensée religieuse de Jean-Jacques Rousseau*, Louvain/Leiden, Brill, 1975.
Lefebvre Philippe, « Jansénistes et catholiques contre Rousseau : essai sur les circonstances religieuses de la condamnation de l'*Émile* à Paris », *AJJR*, XXXVI, 1970.
Masson Pierre-Maurice, *La Religion de Jean-Jacques Rousseau*, Paris, Hachette, 1916, reprint Genève, Slatkine, 1970.
Mauzi Robert, « Le problème religieux dans *La Nouvelle Héloïse* », *Jean-Jacques Rousseau et son œuvre*, Paris, Klincksiek, 1964.
Mauzi Robert, « La conversion de Julie dans *La Nouvelle Héloïse* », *AJJR*, XXXV, 1963.
Parodi Dominique, « Les idées religieuses de Jean-Jacques Rousseau », *Revue de métaphysique et de morale*, XX, mai 1912.
Payot Roger, *Jean-Jacques Rousseau ou la gnose tronquée*, Grenoble, PUG, 1978.
Pernot Maryvonne, « Spinoza, Rousseau, et la notion de dictamen », *Les Études philosophiques*, Paris, 1972.
Pomeau René, « Foi et raison chez Jean-Jacques Rousseau », *Europe*, novembre-décembre 1961.
Ravier André, « Le Dieu de Rousseau et le christianisme », *Archives de philosophie*, XLI, juillet-septembre 1978.
Robinet André, *Vicaire 76, tableau alphabétique des formes*

lexicales, tableaux fréquentiels, concordances, tableaux de co-occurrences, Paris, Vrin 1978.

Schinz Albert, *La Pensée religieuse de Jean-Jacques Rousseau et ses récents interprètes*, Paris, Alcan, 1927.

Spink John Stephenson, *Jean-Jacques Rousseau et Genève. Essai sur les idées politiques et religieuses de Rousseau dans leur relation avec la pensée genevoise au XVIIIe siècle*, Paris, Boivin, 1932.

Starobinski Jean, *Jean-Jacques Rousseau, la transparence et l'obstacle*, Paris, Gallimard, 1970.

Villani Elvira, « *La Profession de foi du vicaire savoyard* : osservazioni storicocritiche », *Annali della Faculta de Magistero dell'Universita di Bari*, Tarento, 6, 1967.

Zac Sylvain, « Rapport de la religion et de la politique chez Spinoza et Rousseau », *Revue d'histoire de la philosophie religieuse*, n° 1, 1970.

CHRONOLOGIE

La religion dans la vie et l'œuvre de Jean-Jacques Rousseau

L'enfance genevoise et calviniste (1712-1728)

1712 (28 juin) : naissance à Genève, dans la « ville haute », de Jean-Jacques, fils d'Isaac Rousseau, horloger, citoyen, et de Suzanne Bernard. (4 juillet) : baptême au temple de Saint-Pierre. (7 juillet) : mort de sa mère.

1718 : installation d'Issac Rousseau dans la « ville basse », ce qui est considéré comme un « déclassement ».

1719-1720 : lectures dans l'atelier paternel : romans, historiens, Plutarque.

1722 (octobre) : à la suite d'une dispute, Isaac Rousseau quitte définitivement Genève pour Nyon. Jean-Jacques et son cousin Abraham Bernard sont mis en pension à Bossey, près de Genève, chez le pasteur Lambercier.

1724-1725 : retour à Genève et mise en apprentissage chez un greffier.

1725 (avril) : apprenti chez le graveur Ducommun. Il y restera près de trois ans, sur les cinq prévus par son contrat.

1728 (14 mars) : rentrant de promenade, Jean-Jacques trouve les portes de la ville fermées. Il choisit de ne pas rentrer. (21 mars) : arrivée à Annecy, chez Mme de Warens, elle-même récente convertie, porteur d'une recommandation du curé de Confignon. (24 mars) : départ pour Turin. (12 avril) : entrée à l'Hospice du San Spirito spécialisé dans les « conversions ». (21 avril) : abjuration du protestantisme. (23 avril) : baptême catholique. Errances dans Turin. Employé chez Mme de Vercellis, puis chez le comte de Gouvon et son fils l'abbé de Gouvon. Renvoyé au printemps 1729.

L'éducation religieuse première de Rousseau fut conforme à celle d'un petit Genevois de son temps : un calvinisme d'évidence, élément de fierté « nationale », plus marqué par la rigueur morale que par des positions dogmatiques précises. Sa famille partageait le sentiment religieux largement majoritaire à Genève, il suivait l'enseignement dispensé à tous les jeunes gens. Rousseau semble en avoir reçu une empreinte durable au travers de la prédication entendue et de la participation aux cérémonies. De son long séjour chez le pasteur Lambercier, il dit dans les Confessions *avoir reçu un bagage théologique plus important, ainsi que de la lecture chez son père de l'*Histoire de l'Église et de l'Empire *de Jean Le Sueur.*

Le converti des Charmettes **(1728-1742)**

1729 (juin) : retour chez Mme de Warens, qui devient « maman » et qui appelle Jean-Jacques, « petit ». Tentative (deux mois) au séminaire d'Annecy, puis entrée à la Maîtrise de la cathédrale. La musique sera désormais part essentielle de sa vie.

1730-1734 : vie un peu désordonnée, dont les centres de gravité sont la maison de Mme de Warens et la musique.

1734 : Claude Anet, régisseur et amant de Mme de Warens, meurt. Rousseau, désormais « traité en homme », le remplace.

1735 : premier séjour aux Charmettes.

1737 (27 juin) : à la suite un accident de « chymie » manque de perdre la vue, rédige son testament. Majeur dans son pays, Rousseau va, en juillet, à Genève recueillir l'héritage de sa mère. Automne : séjour à Montpellier, pour se soigner.

1738 : lors du retour à Chambéry, trouve « maman » éloignée de lui.

1739-1741 : Rousseau a son port d'attache aux Charmettes, où il lit beaucoup. Séjours à Lyon, dont un d'un an, (avril 1740-mai 1741) comme précepteur chez M. de Mably.

La conversion de Rousseau au catholicisme avait été trop rapide pour être bien profonde. La fréquentation régulière des ecclésiastiques qui faisaient l'entourage de Mme de Warens, l'influence du catholicisme passablement assoupli de celle-ci, furent plus durables. Rousseau vit dans une atmosphère de religiosité effusive.

Toute cette période est aussi consacrée à la lecture. Rousseau constitue son « magasin d'idées ». Il découvre en particulier les « merveilles de la nature » au travers d'une littérature mi-apologétique, mi-scientifique.

De cette période datent :

— Vers à la louange des religieux de la Grande Chartreuse

— Un fragment sur Dieu

(textes de date incertaine, autour de 1736).

— Deux prières personnelles, datant peut-être de 1738.

— Un texte de témoignage (du 17 avril 1742), souvenir de l'année 1729 concernant Mgr de Bernex et la conversion de Mme de Warens.

L'entrée dans « le monde » (1742-1749)

1742 (juillet) : départ pour Paris. Rousseau va y présenter à l'Académie des sciences (22 août) un nouveau système de notation musicale.

1743 : premières publications, *Dissertation sur la musique moderne; Épître à M. Bordes.* (Juillet) : départ pour Venise comme secrétaire de l'ambassadeur, M. de Montaigu. Il s'en séparera violemment en août suivant.

1745 : rentré à Paris, « Rousseau le musicien » entre dans « la société ». Premiers contacts avec Diderot, Condillac, Voltaire (à l'occasion de retouches qu'il fait à la musique écrite par Rameau pour les *Fêtes de Ramire*). Noue une relation avec Thérèse Levasseur, qui durera toute sa vie.

1746 : secrétaire chez Mme Dupin, il le sera aussi de M. de Franceuil. Premier des cinq enfants qu'aura Thérèse, remis à l'Hospice des Enfants trouvés, comme seront les quatre autres.

1749 : fréquentation des encyclopédistes, Grimm et Diderot surtout, d'Holbach, Mme d'Épinay. Assure la rédaction d'une bonne part des articles de musique. (24 juillet) : arrestation de Diderot. (Octobre) : en se rendant à Vincennes pour lui rendre visite, Rousseau découvre le sujet de l'académie de Dijon et a l'intuition de son « système ».

1750 : le *Discours sur les sciences et les arts* obtient le prix et provoque un succès de scandale. Il est reçu comme un paradoxe, visant l'originalité.

Durant cette période et la suivante, Rousseau, découvrant l'univers intellectuel des encyclopédistes, enrichit et surtout structure son « magasin d'idées ». On peut dire non

qu'il se détourne de sa conviction religieuse (Rousseau affirme, et cela est certainement vrai, avoir toujours cru), mais qu'il la contourne : à certains signes toujours présents dans sa vie psychologique, la religion n'est pas organisatrice de sa vie intellectuelle.

Rousseau le philosophe (1750-1756)

1751 : précise et soutient son point de vue dans la polémique suscitée par le *Discours*. Nouvel ordre dans sa vie matérielle. Renonce à son emploi de secrétaire et « caissier », se fait copiste de musique pour assurer son existence.

1752 : son opéra, le *Devin du village*, est représenté devant la Cour. Succès. Rousseau, handicapé par une maladie urinaire qui ira en s'aggravant, refuse d'être présenté au roi. *Narcisse ou l'Amant de lui-même* est joué au Théâtre-Français.

1753 : *Lettre sur la musique française*, qui provoque une polémique. Conçoit le *Second Discours* (*Discours sur l'origine et les fondements de l'inégalité*).

1754 : rédaction du *Second Discours*. Rousseau est chargé des papiers de l'abbé de Saint-Pierre. Voyage avec Thérèse en Savoie et à Genève. Le 1er août, réintégration dans l'Église de Genève et dans sa citoyenneté. Dédicace du *Second Discours* à la république de Genève. Décide d'un nouvel ordre dans sa vie morale.

1755 : publication du *Second Discours*. Rousseau obtient sa reconnaissance comme philosophe à part entière. Voltaire : « J'ai reçu, Monsieur, votre nouveau livre contre le genre humain, je vous en remercie. » Rousseau, qui a découvert avec enthousiasme la propriété de Mme d'Épinay, s'y voit proposer une maison pour s'y installer : l'Ermitage.

L'année 1754 est un tournant. La rédaction du Second Discours *est achevée. Rousseau a constitué son « système ». Acte d'abord politique et moral, le retour à Genève pour y être rétabli dans sa citoyenneté aura un retentissement considérable sur sa vie religieuse. Le retour dans la « communion évangélique » est suivi, et non précédé, de nouvelles lectures et de la décision de « mettre de l'ordre dans ses idées ».*

L'ermite de Montmorency (1756-1762)

1756 (9 avril) : installation à l'Ermitage. *Lettre à Voltaire sur la providence* (en réponse à ses poèmes sur le désastre de Lisbonne et sur la loi naturelle). Entreprend la composition de *La Nouvelle Héloïse*.

1757 : année de démêlés avec ses amis, Diderot, Grimm, Mme d'Épinay même. Rousseau quitte l'Ermitage pour la maison de Montlouis à Montmorency. Il va s'isoler toujours plus. Rédaction des *Lettres morales*, à l'intention de Mme d'Houdetot.

1758 : *Lettre à d'Alembert sur les spectacles* (en réponse à l'article « Genève » de l'*Encyclopédie*), achève la rédaction de *La Nouvelle Héloïse*, rédaction probable de la première version de la *Profession de foi*. Brouille définitive avec Mme d'Épinay et Diderot. Dans l'hiver, lecture et annotation de *De l'esprit* d'Helvétius.

1759 : période de grande intimité avec le maréchal et la maréchale de Luxembourg. Achève la première rédaction de l'*Émile*.

1760 : dernières versions de l'*Émile*, du *Contrat social* et impression de *La Nouvelle Héloïse*.

1761 : *La Nouvelle Héloïse* connaît un immense succès. Rousseau est dans la plus grande inquiétude pour le manuscrit de l'*Émile*, peur d'un complot des jésuites et des « philosophes ». (Décembre) : il expédie à Moultou une copie de la *Profession de foi* pour une édition séparée.

1762 (janvier) : rédaction des quatre *Lettres à Malesherbes* qui sont comme l'amorce des *Confessions*. (Avril) : parution du *Contrat social*. (23 mai) : parution de l'*Émile*.

Cette période, la plus productive de la vie de Rousseau, offre un contraste saisissant avec la précédente : elle commence avec la première intervention frontale de Rousseau sur le terrain de la religion, dans sa Lettre à Voltaire, *et s'achève avec le texte de la* Profession de foi. *Sous cet angle, on peut considérer la quasi-totalité des textes alors rédigés par Rousseau comme impliqués dans le travail préparatoire de son grand texte sur la religion.*

De cette période datent, concernant notre sujet :

— La Lettre à Voltaire sur la providence, *18 août 1756.*

— Les Lettres morales à Mme d'Houdetot, *1757.*

— La Lettre à d'Alembert *(première partie), mars 1758.*

— *Un important fragment de fiction sur la révélation, 1758.*
— *La sixième partie de* La Nouvelle Héloïse, *avec la* Profession de foi de Julie, *de 1758.*
— *La rédaction de la* Profession de foi du vicaire savoyard.

Défenses d'un solitaire (1762-1778)

1762 (23 mai) : parution de l'*Émile.* (3 juin) : confiscation. (9 juin) : condamnation par le Parlement, Rousseau décrété d'arrestation. Fuite. (11 juin) : *Émile* brûlé à Paris, saisi, avec le *Contrat*, à Genève. (19 juin) : Rousseau y est menacé d'arrestation. (1er juillet) : refoulé du territoire bernois, Rousseau est accepté à Môtiers, par Frédéric II de Prusse.

1763 (mars) : *Lettre à Christophe de Beaumont.*

1764 : Rousseau retrouve sa passion pour la botanique. *Lettres écrites de la montagne.* Début de la rédaction des *Confessions.*

1765 (mars) : démêlés avec le pasteur de Montmolin. S'engage à ne plus rien publier concernant la religion. Commence à travailler aux *Confessions.* La maison de Rousseau est lapidée pendant la nuit. Départ pour l'île de Saint-Pierre sur le lac de Bienne. Une nouvelle fois expulsé, il répond à l'invitation de Hume et part pour l'Angleterre.

1766 : séjour en Angleterre, démêlés avec Hume. Polémiques.

1767-1770 : vie d'errance. (30 août 1768) : mariage avec Thérèse, à Bourgoin.

1770 : retour à Paris, où il s'installe de nouveau rue Plâtrière. Achèvement probable des *Confessions*, dont il fait des lectures. Scandale.

1771-1776 : Rousseau redevenu copiste de musique, herborise, écrit sur la botanique. Dans le même temps, *Sur le gouvernement de Pologne*, et surtout rédaction des *Dialogues.* (14 février 1776) : Rousseau tente en vain de déposer son manuscrit sur l'autel de Notre-Dame de Paris.

1776-1778 : la santé de Rousseau décline encore. Il rédige *Les Rêveries du promeneur solitaire.* (20 mai 1778) : il accepte l'hospitalité du marquis de Girardin à Ermenonville. (2 juillet) : mort de Rousseau.
Le 20 vendémiaire an III (9 octobre 1794), les restes de

Jean-Jacques Rousseau sont transportés au Panthéon sur décision de l'Assemblée constituante du 27 août 1791.

Rousseau, depuis la Profession de foi, *considère que son sentiment est formé et sa foi exposée. Il reviendra à plusieurs reprises sur ses sujets pour expliciter et défendre son propos, également pour revenir sur son histoire. La préoccupation religieuse s'exprime sur trois registres : l'argumentation (des lettres aux autorités religieuses en défense de la* Profession de foi *aux* Dialogues*), l'expression du sentiment religieux (les* Rêveries, *par excellence), la fiction allégorique (*Pierre le Voyant*). On ne peut entre ces formes ni dans le temps noter de véritable modification de la pensée de Rousseau.*

De cette période datent, concernant notre sujet :
— Lettre à Christophe de Beaumont, *1763.*
— Lettres écrites de la montagne, *1764.*
— Vision de Pierre de la Montagne dit le Voyant, *1765.*
— Lettre à M. de Franquières, *janvier 1769.*
Ainsi que de nombreux passages de :
— Les Confessions.
— Dialogues, Rousseau juge de Jean-Jacques, *achevés en 1776.*
— Les Rêveries du promeneur solitaire, *achevées en 1778.*

TABLE

PUBLICATIONS NOUVELLES

ANSELME DE CANTORBERY
Proslogion (717).

ARISTOTE
De l'âme (711).

ASTURIAS
Une certaine mulâtresse (676).

BALZAC
Un début dans la vie (613). Le Colonel Chabert (734). La Recherche de l'absolu (755). Le Cousin Pons (779). La Rabouilleuse (821). César Birotteau (854).

BARBEY D'AUREVILLY
Un prêtre marié (740).

BICHAT
Recherches physiologiques sur la vie et la mort (808).

CALDERON
La Vie est un songe (693).

CHRÉTIEN DE TROYES
Le Chevalier au lion (569). Lancelot ou le chevalier à la charrette (556).

CONDORCET
Cinq mémoires sur l'instruction publique (783).

CONFUCIUS
Entretiens (799).

CONRAD
Typhon (796).

CREBILLON
La Nuit et le moment (736).Le Sopha (846).

DA PONTE
Don Juan (939). Les Noces de Figaro (941). Cosi fan tutte (942).

DANTE
L'Enfer (725). Le Purgatoire (724). Le Paradis (726).

DARWIN
L'Origine des espèces (685).

DOSTOÏEVSKI
L'Eternel Mari (610). Notes d'un souterrain (683). Le Joueur (866).

DUMAS
Les Bords du Rhin (592). La Reine Margot (798). La Dame de Monsoreau (850 et 851).

ESOPE
Fables (721).

FITZGERALD
Absolution. Premier mai. Retour à Babylone (695).

GENEVOIX
Rémi des Rauches (745).

GRADUS PHILOSOPHIQUE (773).

HAWTHORNE
Le Manteau de Lady Eléonore et autres contes (681). La maison aux sept pignons (585).

HUGO
Les Contemplations (843)

HUME
Les Passions. Traité sur la nature humaine, livre II - Dissertation sur les passions (557). La Morale. Traité de la nature humaine, livre III (702). L'Entendement. Traité de la nature humaine, livre I et appendice (701).

IBSEN
Une maison de poupée (792). Peer Gynt (805).

JEAN DE LA CROIX
Poésies (719).

JOYCE
Gens de Dublin (709).

KAFKA
Dans la colonie pénitentiaire et autres nouvelles (564). Un Jeûneur (730).

KANT
Vers la paix perpétuelle. Que signifie s'orienter dans la pensée. Qu'est-ce que les Lumières ? (573). Anthropologie (665). Métaphysique des mœurs (715 et 716). Théorie et pratique (689).

KIPLING
Le Premier Livre de la jungle (747). Le Second Livre de la jungle (748).

LA FONTAINE
Fables (781).

GF – TEXTE INTÉGRAL – GF

96/01/M8295-XII-1995 – Impr. MAURY Eurolivres SA, 45300 Manchecourt.
N° d'édition FG088301. – janvier 1996. – Printed in France.